MISSCHIEN SLIEP JE AL

RICK VAN LEEUWEN

MISSCHIEN SLIEP JE AL

2010
Uitgeverij Thomas Rap

CAROLYN
  Honey, don't be weird.

LESTER
  All right, honey. I won't be weird.

CAROLYN
  Okay.

LESTER
  I'll be whatever you want me to be.

  Alan Ball / Sam Mendes
  American Beauty

DEEL I

1

Zij staart in het niets, haar ogen bewegen alleen bij een artikel dat niet piept. Mijn boodschappen gaan door haar handen over de glazen plaat en met dezelfde snelheid prop ik alles in mijn tas. Het kratje bier heeft ze nog niet gezien. Met de tien euro die ik hiermee bespaar, rijd ik straks mijn auto weer eens door de wasstraat.

Zij vraagt of ik geld bij wil pinnen en ik zeg nee en lach vriendelijk, maar niet overdreven. Op de bon staat het bier niet aangeslagen.

Nauwelijks verstaanbaar groet ze de volgende klant en artikelen flitsen over de glazen plaat. De klant zegt niets terug, hij zucht in de telefoon aan zijn oor en woelt met zijn vrije hand in zijn boodschappen. 'Nee, vergeten,' mompelt hij en dit doet me denken aan hoe ik hier ooit, bij een van deze kassa's, stond te bellen met Merel die vroeg of ik dit of dat niet was vergeten. Ik antwoordde dat als ik iets was vergeten, ze lekker zelf terug mocht om het te halen. Ze snauwde me iets toe en ik snauwde iets terug en we hingen op toen ik met de kar bij mijn auto stond. Thuis merkte ik dat het kratje bier niet was afgerekend. Op tafel lag een briefje van Merel, ze was even naar haar moeder en ik zag haar wel weer verschijnen. Van het briefje maakte ik een prop, haar de zomeravond toewensend die alles tussen ons had veranderd. De schaamte die deze gedachte aanwakkerde, gloeide door mijn huid en ik belde haar tot ze opnam. Zij zei dat ik moest ophouden met bellen, dat we elkaar later die avond zouden zien en het er dan over zouden hebben.

Op weg naar de uitgang laat ik me meevoeren in de stroom van mensen en winkelwagens. De oranje betaalsticker ontbreekt op het kratje, maar een beveiliger van amper twintig in een te groot pak kijkt over iedereen heen om groter te lijken.

Buiten loer ik over mijn schouder de winkel in, er gebeurt helemaal niets.

Ik zet mijn boodschappen in de auto en denk aan een scène uit *The Sopranos* waarin Tony en Christopher laat in de avond dozen met dure wijn zien staan, ergens in een steeg, voor twee opengeklapte deuren. Ze kijken elkaar aan en grijnzen. Tony zet de auto in zijn achteruit, ze springen naar buiten en giechelend als kleine kinderen laden ze de dozen in. Even later scheuren ze weg, Christopher schiet vanuit het open raampje iemand neer. In de volgende scène zitten Tony en Christopher in een restaurant. Ze lachen om wat er net is voorgevallen en halen herinneringen op uit een tijd die bol stond van dit soort avonturen. Aan het einde van de avond drinken ze buiten op een trappetje uit een van de gestolen flessen.

De flessen wijn voor Charlotte gaan in een lege doos, die ik verder opvul met chips zodat alles heel blijft bij drempels en rotondes. Misschien had ik moeten vragen van welke wijn ze houdt. Misschien moet ik haar sms'en, zodat ik meteen een excuus heb om haar opnieuw te herinneren aan vanavond. In een e-mail had ik als dekmantel gevraagd naar de door haar ingekochte advertentieruimte, in het postscriptum stond dat ze welkom was op mijn verjaardag. Niet vergeten, had ik eraan toegevoegd, gevolgd door een smiley. Zij gaf alleen een korte reactie op mijn vraag, maar merkte op dat we daar volgens haar al afspraken over hadden gemaakt.

Er is een kleine opstopping bij de boodschappenkarren. Een oude man heeft een tasje laten staan in de kar die hij net in de rij heeft geduwd. Het lukt hem niet het wagentje los te krijgen van die ervoor. De euro die in het schijfje zat, valt op de grond en rolt er precies onder. De vrouw voor me schudt haar hoofd en loopt om haar eigen kar heen om de man te helpen. Ik loop ook die kant op, maar blijf bij haar kar staan, waar een open doos met spullen in staat.

Er komt niemand aan.

In de doos zijn opwarmmaaltijden opgestapeld, de bovenste is de viergroenten stamppot. Altijd handig. Met mijn ogen gericht op de knielende vrouw en de voorovergebogen oude man, grijp ik de maaltijd en stop 'm in een plastic tas. De maaltijd die nu bovenop ligt, is ook een viergroenten stamppot. Ik schuif een homp kaas onder de stapel zodat die even hoog blijft. In de seconden dat de man en vrouw overeind komen en samen met dat kettingslot klungelen, grijp ik de fles cola die naast de doos in het wagentje staat en schudt 'm stevig heen en weer. De man en de vrouw kijken achterom als ze me horen grinniken, maar ik heb de cola al teruggezet en lach vriendelijk. Nadat de man eindelijk zijn euro terug heeft, tilt de vrouw de doos en de cola uit de kar, die ze met haar knie in de rij duwt. Bij het passeren stoot ze met de doos tegen me aan en ze kijkt even naar me, maar zegt niets en loopt door.

In de videotheek naast de supermarkt pak ik een film die net uit is. Er staan twee mensen voor me om af te rekenen en ik sms Charlotte over de wijn, over vanavond. Sommige collega's zeggen altijd 'Lotje voor je' als ze haar met me doorverbinden. Iemand heeft zelfs laatst haar foto van internet geplukt, uitgeprint, in een fotolijstje gedaan en op mijn bureau gezet, met onder de foto een kinderachtige tekst: *Krijg ik nog eens een kusje van je?* Het fotolijstje staat er nog.

Ik twijfel over hoe ik de sms moet afsluiten. Ergens tussen het opdringerige *Tot vanavond* en het wanhopige *Hopelijk tot vanavond*. Ik kijk over het display heen om hierover na te denken en zie de deur van de videotheek opengaan.

Merel komt binnen, hand in hand met een kerel die totaal niet op mij lijkt. Hij is groter en breder. Hij heeft een zware, donkere stoppelbaard tot vlak onder de jukbeenderen. Ik voel aan mijn baard van vier dagen, aan de plukjes op mijn kin en de stoppels tussen mijn neus en bovenlip. Ik voel ze, maar wie op meer dan een meter afstand staat, ziet vast niets.

Ik vraag me af hoe ik het moet interpreteren dat hij er heel anders uitziet dan ik. Of het erger of beter zou zijn als hij op mij zou lijken.

Nog één wachtende voor me, een grote wachtende. Door me links van deze man te posteren en wat in de folders op de toonbank te bladeren, ben ik uit haar zicht. Alles is gezegd, en vooral verzwegen. Laat het maar zo.

Als ik aan de beurt ben, staat Merel naast me.

'Eddie?'

'Merel!' Ik stap opzij en gebaar de vrouw achter me in de rij dat ze voor mag.

'Ik herkende je bijna niet met die muts op.'

Ik trek de muts van mijn kop en prop 'm in mijn jaszak, alsof het een schande is om in maart met een muts gezien te worden. Snel wrijf ik over de stoppels op mijn schedel om eventueel door de muts achtergelaten pluisjes te verwijderen.

'Ik herken jou bijna niet met die kerel naast je.'

Merel stelt me aan hem voor. Ik vergeet zijn naam meteen.

Hij vraagt of ik dé Eddie ben en reikt naar mijn hand, die ik eerst strak langs mijn lichaam houd, maar hij blijft volhouden dus vooruit, ik schud zijn hand. De zijne kleeft een beetje. Er zitten witte spetters op. Ik vraag aan Merel of hij schilder is.

'Voor een paar dagen,' antwoordt hij. Grinnikend stoot hij Merel aan. Als haar reactie uitblijft, richt hij zich weer tot mij. 'We zijn aan het klussen, bijna klaar. Alleen nog wat verven.'

'Maar we wonen niet samen, hoor,' vult Merel aan. 'Hij heeft een nieuw appartement, hier in het dorp. Helemaal in zijn eentje opgeknapt... Met een beetje hulp van mij.'

'Jij weet van aanpakken,' zeg ik tegen de klusjesman, maar eigenlijk tegen Merel.

'Het is toch je huis,' zegt die kerel. 'Dan wil je het toch naar je zin maken.'

Daar kan ik me weinig bij voorstellen. Ik denk aan de deurklinken die zolang ik me kan herinneren op de grond liggen, aan het wastafeltje waar ik al maanden geen water meer in kan laten lopen omdat het niet wegspoelt.

Ik denk aan de ontstopper onder het wastafeltje.

Merel staart ongemakkelijk naar de grond.

Ik was nooit zo vriendelijk als ik samen met Merel een bekende van haar tegenkwam die ik niet of nauwelijks kende. Zeker de laatste maanden dat we bij elkaar waren reageerde ik onbeholpen. Als zij een bekende tegenkwam, liep ik vaak verder alsof ik niets in de gaten had. Of ik bleef staan en keek verveeld om me heen. Als het inferieure gesprek voorbij was, vroeg Merel me steevast waarom ik zo onaardig was geweest, waarop ik reageerde dat ik niet onaardig was, maar gewoon ongeïnteresseerd. Ik wilde naar huis om tv te kijken, een boek te lezen of achter de computer te zitten. Om te neuken, maar dat kon ik niet zeggen, dat wilde ik niet zeggen. Het was op een gegeven moment ook niet meer waar dat ik wilde neuken. Ik wilde alleen neuken met de Merel van voor die avond waarna niets meer hetzelfde was, als de Eddie van voor die avond.

Terwijl de klusjesman ongeduldig naar de rekken met dvd's kijkt, vraagt Merel waarom ik op een doodnormale werkdag in de videotheek sta.

'Ik heb een dag vrij genomen.'

'O god! Voor je verjaardag natuurlijk. Wat stom van me. Gefeliciteerd!' Merel trekt me naar haar zich toe en geeft me drie zoenen. Ze ruikt naar verf.

Vorig jaar kreeg ik nog een kaartje. Er stond weliswaar alleen *Gefeliciteerd!* in en op de voorkant in felle kleuren 27, met een uitroepteken, maar het was een kaartje.

Hij geeft me een stevige hand.

Merel vraagt naar mijn ouders en in dezelfde adem naar onze vrienden, die ik nauwelijks meer zie. Ik zeg dat het goed met ze gaat, terwijl ik me afvraag of er vanavond iemand langskomt.

De klusjesman blijft glimlachen, maar aan zijn afwezige blik te zien begint deze ontmoeting hem te vervelen. Hij geeft me voor de derde keer een hand. 'Ik kijk alvast welke films er léggen. Goed om een keer het gezicht bij de naam te zien,' en hij loopt naar een van de rekken.

'Wil je niet weten waarom ík nu niet aan het werk ben?' vraagt Merel, alsof ze op het punt staat een groot geheim te onthullen. Een geheim waar die kerel geen deelgenoot van mag zijn, want ze wacht tot hij op afstand is.

Zonder op mijn antwoord te wachten, zegt ze: 'Ik word juf.'

De klusjesman trekt de ene na de andere dvd uit de rekken en kijkt af en toe over zijn schouder. Merel vertelt over hoe ze is afgeknapt op het zakenleven. Aan de vooravond van haar promotie, waar ze na al die jaren 'snoeihard werken' recht op had, wilde haar baas na werktijd met haar eten bij een restaurant om de hoek. Merel stemde toe. Zij waren als laatsten overgebleven op kantoor, het was al laat, ze had honger. In het restaurant had ze hem al aanhankelijk gevonden. Hij greep elke reden aan om zijn hand even op de hare te leggen. Na het eten schoof hij ineens een opengeklapt doosje over de tafel naar haar toe. Tussen het geplooide fluweel flonkerde een halsketting. Zij spuugde een slok koffie terug in het kopje.

'Dus nu heb je een mooie halsketting?' Ik ontwijk de

stomp die ze tegen mijn arm wil geven. Ze zwaait met haar wijsvinger, als een echte juf. Maar ze lacht erbij. Zonder aarzelen had ze het doosje teruggeschoven en zijn argument afgewimpeld dat dit een normale gang van zaken was bij een dergelijke promotie, 'zie het als een secundaire arbeidsvoorwaarde'. Ze liet haar koffie staan en wachtte tot hij de rekening had betaald, maar ze voelde aan wat haar afwijzing zou betekenen. De week erop hoorde ze dat de promotie niet doorging. Er was een verkeerde inschatting van de werkverdeling gemaakt. 'Te cliché voor woorden, toch?'

Ik knik en herinner me hoe ze bij dat bedrijf was begonnen, hoe uitgeput en laat ze altijd thuiskwam, en 's ochtends vroeg weer vertrok.

Haar nek zit vol rode vlekken. Ze schudt haar hoofd alsof het allemaal net is gebeurd. Ze had op staande voet ontslag genomen. Het kon haar niet schelen wat de consequenties waren, ze moest er weg. De weken erop had ze veel nagedacht en de conclusie was dat ze haar werk eigenlijk nooit met plezier had gedaan. Ze had daar nooit bij stilgestaan omdat ze altijd maar moest gaan, gaan, gaan. Het enige waar ze al die tijd voldoening uit had gehaald, was het maandelijkse uurtje als 'leesmoeder' bij een basisschool met veel allochtone kinderen, een initiatief van haar baas die zo kon aantonen hoe maatschappelijk verantwoord hij aan het ondernemen was. Zo kwam ze op het idee om zich te oriënteren op een opleiding in het onderwijs. 'Ik werk nog wel parttime, hoor. Dat je niet denkt dat ik weer de student uithang en op mijn vaders centen teer.'

'Ik denk helemaal niets.' Ik wil haar omhelzen, kussen. Een halsketting voor haar kopen.

'En ik heb ook geld nodig voor een reis die ik vanaf volgende maand ga maken. Mijn vader staat er niet echt achter, omdat ik alleen ga, dus hij is ook zo principieel om er geen cent aan bij te dragen.'

De klusjesman zwaait met een dvd. 'Merel?'

Merel roept over haar schouder dat ze er zo aankomt en draait haar gezicht weer mijn kant op. 'Zal ik anders aan het begin van de avond even langskomen? Dan vertel ik je meer over die reis... O, en als ik toch bij je ben, neem ik ons fotoboek van New York mee naar huis, oké? Een studiegenootje van me gaat daar binnenkort naartoe, ik wil haar graag mijn... onze foto's laten zien. Ik zal niet te laat komen. Ik bedoel, dat je niet aan mensen hoeft uit te leggen wat ik ineens kom doen.'

'Dan zeg ik dat je een fotoboek komt halen. Meer niet. Wat valt er uit te leggen?'

'Mensen vinden het vast vreemd om mij weer bij jou te zien, na ruim twee jaar.'

'Twee jaar en vier maanden.'

'Ja, na zolang.' Ze krabt in haar nek en kijkt wat langs me heen, dan over haar schouder om te zien of die klusjesman nog bij de rekken staat, wat zo is.

'Kom maar gewoon langs, hoor.' Ik rits mijn jas dicht. 'En je kunt meenemen wat je wilt,' voeg ik eraan toe, want zij was tenslotte degene die bijna al onze fotoboeken had betaald en ingeplakt.

We spreken een tijd af en nemen afscheid.

De jongen achter de toonbank neemt de lege dvd-hoes van me aan en zoekt in een kast naar de goede schijf. Op de toonbank staat een bak met lollies. Ik graai er een handvol uit en stop ze in mijn broekzak, de stokjes prikken in mijn been.

Onderweg naar buiten zie ik dat die klusjesman op aanwijzing van Merel dezelfde film pakt als waarmee ik de videotheek ben uitgelopen.

De borstels in de wasstraat komen van alle kanten met veel kabaal op me af. Ik spuug in mijn handen om de kleverigheid van de hand van die klusjesman weg te wrijven. De man die 'helemaal alleen' zijn appartement opknapt.

Merel zei altijd dat ik te makkelijk was. Mijn papierwerk lag overal en ik vergat alles, de lichten, het gas, de boodschappen. Maar wat ik vooral vergat was overleggen, haar betrekken in mijn plannen. Ik was ook zo onhandig, en het ergste was mijn onverschilligheid daarover. Als we ooit een huis kochten, zouden we alles moeten uitbesteden en daar maakte ze zich flinke zorgen over, zei ze toen we een kast van Ikea in elkaar aan het zetten waren. Merel zat op de grond tussen planken en gereedschap en bladerde druk in de handleiding. Ik zat op de rug van de bank voetbal te kijken en gaf op commando planken of schroeven aan, vaak nog de verkeerde ook.

Ze werd boos als ik zei dat ze steeds meer op haar vader begon te lijken. En ik werd boos als ze zei dat het goed was als ík wat meer op hem zou lijken. In de stiltes die ze liet vallen kon ik horen dat ze dacht aan hoe haar vader het nooit zover had laten komen, hoe een echte kerel het nooit zover had laten komen. Ik hoorde het haar denken, verdomme, en ik zag het in haar ogen als ze opkeek. Ik zag hoe ze op haar tong beet en de woorden inslikte. Hoe ze hoopte daarmee de beelden weg te slikken, de herinnering aan wat we

samen hadden moeten ondergaan, ver weg van het va-
kantiegevoel. Ver weg van de Eddie en Merel die we
waren.

Mijn auto nadert de droogkap die langzaam omhoog-
gaat. Ik zie voor me hoe Merel samen met die kerel aan
het klussen is en hij overal een oplossing voor heeft, het
initiatief neemt, met alle gereedschappen overweg kan.
Internet installeert, alsof het een kwestie van stekker in
stopcontact is. Ik zie een plank met ordners, op alfabe-
tische volgorde. Onderbroeken en shirts, keurig gevouwen in een kast. Elke week een bloemetje. Hij is de ver-
persoonlijking van de eigenschap die ze in mij miste,
hij kan haar beschermen als het moet. Hij weet van
aanpakken, hij is een echte kerel.

De wastunnel spuugt mijn auto naar buiten en voor
het eerst in mijn leven stap ik uit om te controleren of
alles werkelijk schoon is. Zo begint het, zo word ik
ook een echte kerel.

Op de motorkap en beide portieren zitten bruine vegen die ik met mijn vinger in één keer weg krijg. Heb ik
ze daar al die vorige keren mee weg laten komen? Ik
loop naar degene die in mijn ogen de chef is, met de me-
dedeling dat mijn auto niet goed schoon is. Hij vraagt
welke auto en grijnst als hij hoort dat het om de witte
gaat. 'Was die wít?' zegt hij luid, zodat zijn collega's het
horen. Ze grinniken. Hij vraagt wanneer mijn wagen
voor het laatst is gewassen, en ik lieg: twee weken geleden.

We lopen rond de auto en ik laat hem de vegen zien,
demonstreer dat ik ze met mijn vingers zo wegpoets,
zeg dat ik het vreemd vind dat de borstels dit niet voor
elkaar hebben gekregen.

'Je bent er met je vingers langsgegaan?' vraagt hij. 'Dat moet je ook niet doen. Daar krijg je vlekken van.'

Als een echte kerel worden, iemand die dingen serieus aanpakt, betekent dat ik met zulke mensen in aanraking kom, dan blijf ik liever mezelf. Maar me door zo iemand laten afpoeieren, gaat zelfs de lamzak die ik ben te ver. Ik zeg zo vriendelijk mogelijk dat die vlekken er al zaten, dat het niet komt omdat ik er met mijn vingers langs ben gegaan.

De man zucht en kijkt over zijn schouder. Er staan geen auto's te wachten. 'Vooruit. Gooi 'm er nog maar een keer doorheen.'

Thuis kleed ik me onderweg naar de badkamer uit, scheur de versleten spijkerbroek en capuchontrui aan stukken en smijt alles in de vuilnisbak. Net als die afgetrapte All Stars waar ik maar op blijf lopen ondanks de stank en de kapotte binnenzolen. Weg ermee.

In het kastje onder de wastafel zoek ik naar een zak scheermessen die Merel heeft laten liggen, en naar een fles scheerschuim. Mijn scheerapparaat leg ik achter op de onderste plank in het kastje. Ik smeer het koude schuim uit over mijn gezicht, tot vlak onder mijn ogen en onder mijn adamsappel. Het mes houd ik vast als een pen en ik scheer mijn ingezeepte gezicht van boven naar beneden, tot mijn kaaklijn. Daarna doe ik mijn nek, van onder naar boven. Na elke streek spoel ik het mes schoon.

Het voelt alsof mijn oude huid is afgestroopt. Mijn wangen en nek zijn ruw en branden. In de onderste la van mijn nachtkastje vind ik de aftershave die ik ooit van Merel heb gekregen, de alcohol bijt in mijn gezicht.

Helemaal links in de kledingkast hangt de Dockersbroek die Merels moeder me ooit gaf voor mijn verjaardag. Het overhemd aan dezelfde hanger heb ik al jaren niet meer gedragen, maar zowel broek als overhemd ruikt nog fris en is kreukvrij.

Bij het inruimen van de boodschappen kom ik erachter dat ik geen flessen wijn had hoeven kopen. In het rek naast de televisiekast liggen flessen die Merel en ik ooit van haar ouders hebben gekregen, samen met dat rek. De bovenkant van de flessen en de randen van de gaten waarin ze liggen zijn grijs van het stof. De etiketten zijn onleesbaar. Ik schuif de nieuwe flessen in de gaten en trek een bestofte eruit om er een glas van te nemen. Misschien dat het drinken van wijn het schrijven aan mijn scenario *De kleptomaan die niet stelen kon* op gang brengt. Het document, dat al maanden uit slechts twee alinea's bestaat, doemt als eerste op in het scherm als ik de laptop openklap.

Het glas zet ik op tafel naast mijn laptop, net als de fles, want dat geeft mij zo'n lekker artistiek gevoel.

Ik ga zitten en staar me blind op de letters en zoals altijd ben ik de eerste seconden vervuld van de titel. Daarna zie ik in dat het uiteindelijke verhaal de verwachtingen van die titel nooit waar zal kunnen maken zolang ik geen goed einde heb verzonnen. En zolang ik geen goed einde heb verzonnen, kan ik niets opschrijven. Zo werkt dat bij mij.

De wijn biedt geen oplossing, geen knallende apotheose. Ik wijt mijn gebrek aan creativiteit, het uitblijven van lucide momenten, dit keer aan de plotselinge ontmoeting met Merel en aan haar aangekondigde bezoek. In het mapje dat ik hersenspinsels noem, wat in

werkelijkheid staat voor flauwe verzinsels en voor op-
zetjes van verhalen die nooit worden afgemaakt, vind
ik een tekst die ik lang geleden heb geschreven toen ik
dronken thuiskwam en die ik de volgende dag zowaar
van mezelf mocht bewaren.

Ik open het bestand en klik meteen op het gele balkje,
zodat het document uit het zicht verdwijnt, maar het
zo weer op te roepen is. Ik sta op, loop wat door de
woonkamer en erger me aan het stof. Overal waar ik
kijk, zie ik stof. In klitten rond de tafelpoten, als wolken en slierten langs plinten. De deurklinken op de
vloer ben ik ook zat, en de kringen op tafel, de rieten
mand die uitpuilt van de kranten en folders en tijdschriften. Ik sta een poosje stil voor de twee filmposters
die ingescheurd zijn, omdat ik soms vergeet het raam te
sluiten bij slecht weer. Alleen aan de bovenkant zitten
ze nog met punaises aan de muur vast, de hoeken van
de onderkant krullen omhoog. Hier hingen eerst twee
schilderijen die wij ooit van haar ouders hadden gekregen, doeken van een lokaal bekende schilder, zijn naam
ben ik vergeten. Merel hoefde niet veel mee te nemen
toen ze vertrok, maar ze kon het niet maken om die
schilderijen te laten hangen. Mijn onverschillige reactie daarop was de aanleiding van onze laatste ruzie.

Ik trek de bruinleren schoenen aan die ik voor mijn
werk draag en ruim de koffiekopjes en gebakschotel-
tjes op die er nog staan van vanochtend. Het boek dat
ik van mijn ouders heb gekregen, prop ik in de boeken-
kast en als ik twee keer knipper kan ik het niet meer te-
rugvinden, de titel ben ik al vergeten.

2

Ik werkte als nachtreceptionist bij een luxe hotel aan de rand van een dorp dat grenst aan de stad waar ik op de heao zat. Als ik college had, reed ik na een nachtdienst, die om acht uur voorbij was, rechtstreeks vanuit het hotel naar school. Ik woonde in de buurt, in een ander dorp dat ook aan de westelijke kant van de stad grenst, dus ik kon ook eerst naar huis, maar ik had na mijn eerste nachtdienst geleerd dat ik de verleiding van mijn warme bed niet kon weerstaan.

Een paar dagen voor onze eerste ontmoeting had ik mijn ontslag ingediend. Ik bleek te zijn voorgelogen over de intensiteit van het werk als nachtreceptionist, ongeveer zoals ik zelf onzin had verkocht over mijn affiniteit met de horeca. Het was vooral de nachttoeslag die mij had aangetrokken, maar ik zag het ook helemaal zitten om mezelf onder te dompelen in de donkere uren, om zonder afleiding aan een meesterlijk scenario te werken. En als ik tijd over had, aan de commerciële studie waar ik van walgde, maar die me zo makkelijk afging dat het zonde was om ermee te stoppen.

Ik had me verheugd op nachtenlang ongestoord lezen en schrijven, op nachten waarin alleen van mij werd verwacht dat ik elke twee uur een rondje door het

23

pand en de tuin liep. Ik had me verheugd op nachten waarin er slechts een of twee kamers bezet zouden zijn, op restaurantgasten en personeel die vroeg vertrokken. Op de duisternis waar het hotel in deze uren door omgeven was, op de stilte die mij tot grootse daden zou stuwen.

Dat het gebrek aan slaap zo'n uitputtende invloed op me zou hebben, vooral na drukke avonden in het restaurant, had ik niet verwacht. Terwijl de kelners en koks tot diep in de nacht zaten te kaarten en te zuipen, voorzag ik alle tafels van nieuwe lakens en couverts – een woord dat ik daar had geleerd. De lakens gestreken, borden, bestek en glazen opgepoetst. Met zompige voeten, zweet in mijn nek en een zeurende pijn in mijn rug was ik daar vaak pas na een uur of drie, vier mee klaar. Tussendoor waren er veeleisende hotelgasten, voor wie ik mijn das weer moest knopen om een koffie verkeerd of een fles champagne – een enkele keer in combinatie met een hoer – naar een kamer te brengen. Ik vouwde ook elke nacht nieuwe informatiemapjes en mijn rondes langs alle buitendeuren in het hotel moest ik ook nog lopen. Overal hingen camera's, een ronde overslaan lukte niet. Wel stond er in een hoek van de lobby, waar geen camera op gericht stond, een bank waar ik in foetushouding op kon liggen om even een oogje dicht te doen. Maar iedere keer was ik zo onrustig van de angst om betrapt te worden door een gast of mijn plotseling binnenvallende chef, die in de buurt woonde, dat ik er nooit een oog heb dichtgedaan.

Dit baantje betekende echt werken, dat was nooit de bedoeling geweest.

In de sporadische nachten dat er wel tijd voor mezelf

overbleef, leken deze uren geen stimulerende uitwerking op mij te hebben. Eerder een verlammende. Het alleen-zijn in de nacht keerde zich tegen me. Ik kreeg het niet voor elkaar me af te sluiten van de geluiden die bij het hotel hoorden als zijn decadente gasten; de zware slagen van de klok in de lobby, en de wind die af en toe door de kieren van de kozijnen heen kermde en zich vermengde met het geluid van zoemende afwasmachines. Ik begreep nooit dat gasten daar niet wakker van werden. En dan die krakende houten vloer van de bovenverdieping. Ik wilde iedereen die de vloer deed kraken en piepen erdoorheen zien zakken, maar ook weer niet; het laatste waar ik op zat te wachten was hysterie, kakkers die in hun badjas tegen me schreeuwden dat ik onmiddellijk iets moest doen en dat het een schande was dat iemand hier zomaar door de vloer kon zakken.

Bijna elke nacht ging ik even buiten zitten. Op een bankje bij de fontein, aan de rand van de tuin. Er scheen licht vanuit de fontein omhoog, waardoor het sproeiende en neerdalende water glinsterde. Het water stroomde trapsgewijs over randen naar beneden tot het in de onderste verdieping in nauwelijks waarneembare ribbels tegen de rand kabbelde. Vanaf het bankje luisterde ik naar die geluiden tot ik ervan moest pissen. Hier probeerde ik de sluizen in mijn hoofd open te zetten, voor die vloed aan geniale ingevingen, bijzondere verhaallijnen. Of in elk geval één ingeving, één verhaal. Ik moest het simpel houden, niet in de val trappen van beginners die boven hun macht werken. Personage, conflict. Daar begon het mee. Een simpel gegeven, dicht bij jezelf. En niet vergeten: alles is al geschreven. De goede schrijver onderscheidt zich in de uitwerking, de uitdieping. Originaliteit. Mijn gedachten over het schrijven zelf dreven op dit bankje bij de fontein naar de verste uiterwaarden, maar verhaallijnen dobberden in de bron en zakten een voor een naar de bodem.

Opgelucht en opgewekt zat ik de eerste avond nadat ik mijn ontslag had ingediend achter de balie, ik had een opzegtermijn van enkele weken, wat neerkwam op ongeveer tien nachtdiensten.

In die dagen was het al zover dat ik bier voor mezelf tapte als iedereen weg was en ik alleen achterbleef met de nacht en haar geluiden. De eenzaamheid van de nacht en de teleurstelling van mijn onvermogen om te schrijven zetten mij aan tot drinken. Ook wilde ik de onrust verdrijven die mij ervan weerhield op het ongemakkelijke bankje in de hoek in slaap te vallen. Al die gemoedstoestanden bij elkaar stuwden mijn lippen tegen de rand van het bierglas. Soms kwam er niet eens een glas aan te pas en zette ik mijn mond gewoon tegen het ijskoude uiteinde van de tap.

De volle parkeerplaats die ik vanavond aantrof toen ik tegen elven mijn auto parkeerde tussen twee dikke bolides, kondigde aan dat ik weinig tijd voor mezelf zou hebben. Zoals artiesten hopen op volle zalen, keek ik uit naar een lege parkeerplaats. Naar een leeg restaurant, een leeg hotel.

Het eerste halfuur van mijn dienst staarde ik naar de beeldschermen van de computer, naar de beveiligingsmonitoren en naar buiten, naar wiegende takjes. Tussendoor iedereen groetend die voorbijkwam, met ingetogen glimlach, lippen op elkaar, een keurig knikje, beheerste stem. Dan weer terug naar mijn staarpunten. Mijn ogen brandden van vermoeidheid en ik zag op tegen de rest van de nacht. Tot ik opkeek bij het geluid van tikkende hakken.

Wie mij ooit zou vragen naar de eerste keer dat ik haar zag, zou te horen krijgen dat ik haar over de balie wilde trekken om haar tegen me aan te drukken en haar vast te houden, zolang als het kon. Met mijn neus in haar oorschelp, haar haren als een matje in mijn eigen nek. Mijn armen om haar middel, zo ver en hard dat mijn vingertoppen mijn eigen ribben raakten. En haar armen om mijn nek, haar adem in mijn oor. Gewoon, vasthouden.

Het is waar dat ik haar naar mijn kant van de balie wilde trekken. Maar in mijn fantasie zouden onze tongen zich in elkaar verstrengelen, als twee speelse katten. Dat ik haar vast wilde houden klopt ook, maar dan van achteren, bij d'r heupen. Ondertussen de gasten groetend die mijn balie passeerden als ze naar de plee gingen en weer terugbeenden naar het restaurant. Zij zouden mij negeren zoals ze dat hier meestal deden, want ik bestond niet. En we zouden tegelijk klaarkomen – het was tenslotte mijn fantasie – en ze zou willen dat ik in haar bleef, mijn pik kloppend als haar hart.

De eerste keer dat ik haar zag, liep ook zij langs de balie zonder mij een blik waardig te gunnen. De tweede en derde keer opnieuw. Die afstand tussen ons, die onbereikbaarheid, wakkerde een ordinaire geilheid in mij aan. Van het soort eerste zomerdag op het strand.

Terwijl zij argeloos voorbijliep, had ik haar al toegevoegd aan mijn rukcarrousel voor de nachten die mij nog restten, ook al paste zij eigenlijk niet in de reeks van ordinaire sletten die normaal gesproken voor mijn ogen verschenen. Naast drinken en voor me uit staren kon ik het sinds een paar weken niet laten om er minstens één keer per nachtdienst een slinger aan te geven. Dat deed ik op de plee, waar ik ook vaak ging zitten om de tijd te doden als er nog andere mensen beneden waren. Dan zat ik daar minutenlang met mijn ellebogen op mijn knieën en mijn hoofd in mijn handen naar de grond te staren, tegeltjes te tellen, veertig stuks. Of ik hield mijn ogen dicht tot ik voelde dat ik in slaap zou vallen, luisterend naar het suizen in mijn hoofd, naar stemmen in de verte, gerinkel van glazen, gekletter van opstapelende borden. In de keuken deden ze altijd wie het hardst kon lachen en elke keer hoopte ik dat er helemaal niemand meer zou zijn als ik uit de plee kwam. Ik hoopte op het verstommen en wegsterven van geluiden, het dichtslaan van deuren. Draaiende motoren en opspattend grind.

De vierde keer dat ze vanuit het restaurant voorbijliep, stond ik op en reikte naar een hotelbrochure waar ik er al tig van had gevouwen, maar die ik nog nooit had gelezen. Bij het opstaan stootte ik mijn linkerknie tegen een kastje onder de tafel en ik vloekte.

Zij keek opzij en voor het eerst deze avond zag ik haar gezicht van voren. Ze was ongetwijfeld een vrouw aan wie andere vrouwen denken als ze hun eigen gezicht in de spiegel zien en benoemen wat ze aan zichzelf willen verbeteren.

'O, hallo,' zei ze en de glimlach die volgde overtuigde me ervan dat ze me nu pas opmerkte. Ze liep rustig door.

'Goedenavond,' riep ik terug toen ze al bijna uit mijn

gezichtsveld was, en op zo'n formele toon die je alleen bij oudere mensen aanslaat. Ik bleef staan en groette andere gasten die voorbijliepen. Ondertussen bladerde ik met een ernstig gezicht in de brochure. Kleuren cirkelden door elkaar, ik zag een brij van letters.

Na een paar minuten kwam ze uit het damestoilet. Ze liep zonder aarzelen naar de balie en leunde er met haar ellebogen op. Ik wilde dat ze dichterbij kwam om misschien een haar in mijn gezicht te voelen, haar geur op te snuiven, haar mond en ogen tot in detail te bewonderen.

Ik streek met een hand door mijn haar, dat ik toen nog had, elke lok viel precies waar die al hing, of plakte.

'Heb je al die tijd in die brochure staan kijken?'

'Ja, ik...' en ik wist niet wat ik verder moest zeggen. Ik friemelde wat aan de punt van een bladzijde. 'Ik zocht iets... hierin.'

Zij rukte de brochure uit mijn handen en zette een stap achteruit. De brochure in de ene hand, vingers van de andere trommelend op haar heup. Een plagerige blik in haar ogen. 'En? Gevonden wat je zocht?'

Ik knikte en dacht na over waar ik naar op zoek had kunnen zijn. De namen van de negen kamers die dit hotel telde, flitsten voorbij. Misschien kon ik iets zeggen over de omgeving, over de stad waar dit hotel vlak buiten ligt, of over de badplaatsen op enkele kilometers, over de *schilderachtige dorpen* rondom de stad. Daar kon ik over praten, ik woonde tenslotte in een van die dorpen. 'Ik zocht iets over...'

'Schatje, ik maakte me al ongerust!' Vanuit het restaurant waggelde een of andere corpsbal haar kant op.

De kraag van zijn overhemd stond open, de knoop van zijn das hing daar los onder. Opgestroopte mouwen, de ene tot vlak boven de elleboog, de andere vlak eronder.

Wat een mongool, dacht ik en ik kreeg trek in bier.

'Gerards! Kom! Je pa zit net op te scheppen over zijn oude liefdes. Lachen!'

Ze werd aan een arm meegetrokken en wierp bij haar eerste, zijwaartse stappen de brochure terug op de balie. 'Ik zat je een beetje te fucken. Werkse nog!' Ze glimlachte en alle slaap in mijn lijf en ogen was verdwenen.

Tot de hele groep waar zij bij hoorde het restaurant verliet, bleef ik onafgebroken op mijn plek zitten. Ik ging niet naar de plee, zelfs niet toen ik echt moest. Naar buiten keek ik niet meer, de beveiligingsmonitoren bestonden niet.

Zij ging nog één keer naar de wc. Zowel op de heen- als op de terugweg knikten we naar elkaar en ik wist niet of ik wilde dat ze weer bij mij aan de balie zou staan. Ik voelde aan mijn kloppende knie en dacht aan mijn gestuntel. Warm bloed bonsde in mijn slapen.

Twaalf minuten nadat ze voor het laatst was langsgelopen, klonken de typische geluiden van mensen die na een avond met veel eten en drank een ruimte verlaten. Ik bereidde me voor op zogenaamd grappige en soms kleinerend bedoelde opmerkingen van gasten op weg naar hun kamers: 'Geen vreemden binnenlaten, hoor', of 'Als ik om champagne bel, kom je niet met mousserende wijn, toch?', en 'Mag je wel zo laat opblijven, knaapje?'

Tot mijn verbazing bleven deze mensen vriendelijk

en wensten ze me oprecht succes voor de rest van de nacht. Een man die er door zijn donkere krullen en fitte postuur jonger uitzag dan hij waarschijnlijk was, vroeg zelfs tot hoe laat ik moest werken. 'Jij liever dan ik,' reageerde hij op mijn antwoord. Met een bewonderenswaardige glimlach voegde hij eraan toe respect voor me te hebben. 'Om je studie te betalen?' vroeg hij onderweg naar boven en dat beaamde ik. 'Een jongen naar mijn hart,' zei hij tegen de vrouw aan zijn arm. De twee stapten opzij voor een ander stel dat naar boven ging en de man met de krullen zei tegen de andere man: 'Doe eens iets aan die zoon van je.'

De ander liep door naar boven, knikte en zei: 'Ik weet het, Huig, ik weet het.' Huig hield hem staande. 'Kijk eens goed naar die jongeman daar beneden.'

De ander keek niet naar me en gebaarde naar zijn vrouw dat zij door kon lopen.

'Die leert wat werken is. Díe komt er wel,' en hij gaf me een knipoog.

Zij en die corpsbal waren de laatsten die het restaurant verlieten. Zijn tanden en lippen waren paars uitgeslagen van de rode wijn. Hij kon bijna niet meer op zijn benen staan. Zij hoefde hem nog net niet te ondersteunen, liep een meter voor hem uit.

'Tot hoe laat moet je?' vroeg ze. Hij hing tegen de balie aan en staarde naar een ingelijste foto achter me aan de muur.

'Tot acht uur... En morgennacht weer.' Om duidelijk te maken dat dit maar een bijbaan was, zei ik: 'Daarna ga ik meteen door naar college.'

'O, wat doe je?'

'Iets met marketing.'

'Iets met marketing,' herhaalde ze alsof het een spreuk was. 'Lekker vaag.'

'Is het ook, maar beter kan ik het niet uitleggen.'

Ze lachte. 'Maakt niet uit, ik vind het knap van je, zo'n bijbaan als deze combineren met een studie.'

'Ach Merel, schei toch uit.' De corpsbal hield met één hand de balie vast en wimpelde haar compliment aan mij af met de constatering dat ik alleen maar wat zat te zitten. Hij gaf me een jongens-onder-elkaar-knipoog, die ik begreep noch beantwoordde, en legde een euro op de balie. 'Hier,' voegde hij eraan toe, 'je kunt vast een extraatje gebruiken.'

'Zo, een euro, kun je dat wel missen?' mompelde ik, en liet de munt liggen.

Merel stompte hem tegen zijn schouder, wat werkte als een glas ijswater in zijn gezicht, hij tilde haar over zijn schouder en rende de trap op. Zij gilde het uit. Er sloeg een deur dicht.

Niemand belde die nacht voor koffie of champagne. Een kwartier nadat de laatste gasten het restaurant hadden verlaten, was het stil boven. De houten vloer kraakte en trilde niet meer onder dronkemansvoeten. Er stroomde geen water meer uit kranen, de laatste wc was doorgetrokken. Bedden waren tegen elkaar aangeschoven, of juist van elkaar af. Pas op het moment dat iemand van de bediening mij een goede nacht wenste, dacht ik aan alle tafels die ik moest opdekken, aan de stoom in mijn neusgaten bij het strijken van de lakens, aan de zeurende pijn in mijn rug bij het tillen en in evenwicht houden van de zware dienbladen met borden en glazen.

Ik wachtte met strijken en opdekken tot alle kelners

waren verdwenen. Ik gunde hun niet het plezier mij te zien ploeteren. Op de beveiligingsmonitor van de parkeerplaats zag ik ze een voor een vertrekken. Door de muren heen hoorde ik het grind knerpen onder de banden, die sporen achterlieten op de parkeerplaats.

Das af, overhemd uit. Eerst een biertje.

Ik overzag de zaal vanuit de hoek waar de kelners hadden gezeten, telde de tafellakens, de borden en de glazen die er over een paar uur zouden staan. Dit keer hadden ze gelukkig de moeite genomen om de vuile lakens alvast te vervangen voor schone. Alleen waren de vouwen te scherp en de kreukels ertussen te opvallend om ze niet te strijken en ermee weg te komen. Door de ramen van het restaurant keek ik de tuin in, naar al die bloemen en planten waarvan ik de namen niet wist. Ze leken allemaal op elkaar, allemaal zwart. Tussen twee struiken stond het bankje bij de fontein, de plek waar ik zoveel vruchteloze uren had doorgebracht.

In twee slokken dronk ik het glas bijna leeg en mijn oog viel op een tasje, met tussen de hengsels een paarse sjaal, onder een van de stoelen aan een ronde tafel die tegen een andere tafel was geschoven. Zou zij op de stoel hebben gezeten, of op die ernaast? Ik stelde me haar voor vanuit de hoek waar ik zat, ik stelde me voor hoe de mannen in het restaurant zich zo vaak en lang mogelijk aan haar verlekkerden zonder dat het hun vrouwen opviel.

Het water in de strijkbout siste. Nog één biertje. Ik zette het glas aan mijn lippen en toen het bier mijn keel verkoelde, wandelde zij het restaurant binnen. In badjas, op badslippers.

'Doe mij ook maar een baantje als nachtreceptionist

hier.' Ze trok de ceintuur van haar badjas iets strakker, haar borsten groeiden. 'Lekker drinken in de baas z'n tijd.' Ze raapte de tas en sjaal op van de grond en wees naar mijn, over een stoel gehangen, overhemd en das. 'Zo warm is het toch niet?'

'Straks wel.' Ik zat inmiddels rechtop en streek mijn haar naar achter met twee kammen van handen. 'Ik bedoel, als ik die tafellakens aan het strijken ben, wordt het warm.'

'Strijken?' Ze sleepte haar hand over de laatste tafel waar ze langsliep voor ze bij mij in de hoek stond. 'Wat overdreven.'

Ik knikte traag. Om niet te lang in haar ogen te blijven staren, keek ik naar het tasje en de sjaal aan haar arm.

'Dat lelijke ding is van mijn moeder, hoor,' zei ze zonder tas of sjaal aan te wijzen.

'Die sjaal?'

Er viel een stilte van een paar seconden waarin ze mij doordringend aankeek.

Ik voelde dat ik een kleur kreeg.

'Je zei meteen "die sjaal" toen ik het over dat lelijke ding had.'

'Ik bedoelde eigenlijk dat tasje.'

'Zeker weten?'

Ik nam de sjaal en tas goed in me op en kon me haar niet voorstellen met die knalpaarse, zijden sjaal. Wel met dat tasje aan haar arm. En de hand van de andere arm in de mijne gevlochten. 'Nee, nu ik 'm wat beter bekijk... die sjaal vind ik lelijk. Dat is eerder iets om in bed de ander mee vast te binden als je spannende dingen van plan bent.'

Ze schoot in de lach. 'Ik zie mijn vader al liggen.'

Ze ging tegenover me zitten en sloeg haar benen over elkaar. De badjas sloot ze tot het kuiltje in haar hals, waar ik een kleine moedervlek ontwaarde. Ze trok de stof over haar benen. Uit de handtas griste ze een pakje sigaretten. Ze stak er een aan en nam een flinke trek. Ik was jaloers op de sigaret, op de rook. Of ik er ook een wilde. Ik sloeg 'm af. Ze liet het pakje in haar tas vallen, trok haar wenkbrauwen op en inhaleerde diep. Van deze afstand kon ik zien hoe het papier schroeide. Ze blies een snoer aan wolkjes uit en haar ogen schoten van links naar rechts. De hand met de sigaret rustte op de rand van de tafel, de sigaret recht omhoog, als een pen op papier.

Ik nam een flinke teug van mijn bier, liet een dun laagje over en zette het op een paar centimeter van haar hand. 'Hier.'

Ze bedankte me, tikte haar sigaret af en nam meteen weer een hijs. Asresten dwarrelden in het glas en dreven als dode insecten in het overgebleven bier. 'Drinken we er nog eentje of moet je aan de slag?' vroeg ze.

'Al wil je er nog tien,' antwoordde ik en ik stond op. 'Klant is koning... niet dat je ervoor hoeft te betalen natuurlijk. Witte wijn? Rode? Champagne?'

'Doe maar een biertje.'

Het tappen duurde een eeuwigheid, ik verspilde eerst twee glazen met schuim. Toen ik eindelijk het bier voor haar neerzette, zat ze nog in exact dezelfde houding. Ze had een nieuwe sigaret opgestoken. Met de toppen van de vingers, waartussen de sigaret knelde, trok ze een spoor rond de vochtige buitenkant van het glas. Daarna pakte ze het glas met haar vrije hand op en nam twee flinke slokken.

'Toe maar,' zei ik. 'Ik kan beter blijven staan en er nog één voor je halen.'

Ze verslikte zich en sloeg drie keer zachtjes op haar borst. Na een korte stilte vroeg ze ineens of ik was opgewassen tegen de eenzaamheid, of ik de leegte van de nacht niet als beklemmend ervoer. Op zo'n vraag was ik niet voorbereid. Mensen vroegen me wel eens wat ik zoal de hele nacht deed, en of ik tegen de slaap moest vechten, maar meer niet.

'Het is anders dan ik me had voorgesteld.'

'Dacht ik al.' Ze kneep een oog half dicht bij het inhaleren. 'Wie drinkt er anders tijdens zijn werk? Alleen.'

Ik gaf toe dat ik me niet op mijn gemak voelde bij de doodstille uren hier, terwijl ik er juist op had gerekend dat die stilte precies was wat ik nodig had. In mijn lijf tintelde voortdurend een soort onrust, omdat de stilte ieder moment verbroken kon worden. Ik wijdde uit over de veeleisendheid van de gasten, de rondes die ik moest lopen, over de tijdrovende klussen, het personeel dat na werktijd uren bleef borrelen. Ik vertelde over escortdames die werden besteld, over bekende Nederlanders die ik dronken en doorgesnoven met elkaar naar boven had zien gaan.

'Wordt je vriendje eigenlijk niet ongerust als je zo lang wegblijft?' vroeg ik om haar tot onderwerp van gesprek te maken.

'Michiel? Maak je om hem maar niet druk,' zei ze. 'Van hem hebben we de komende uren geen last.' Ze keek naar de klok boven mijn hoofd en beet op haar onderlip. 'Maar je hebt gelijk. Ik ga maar eens terug. Moet morgen tennissen.' Ze maakte een backhandbeweging, dubbelhandig.

Ik stelde me haar voor op de tennisbaan, vlak achter de baseline na een ziedende backhand langs de lijn. Haren die voor haar ogen zwiepen, een stukje buik, aangespannen kuitspieren. 'Speel je hoog?' vroeg ik, zonder enig benul.

Ze haalde haar schouders op en drukte de sigaret uit. 'Niet hoog genoeg, want ik moet veel te vroeg opstaan voor een zondag. Negen uur aan het ontbijt, tien uur op de club.'

Ik dacht aan mijn dienst die om acht uur afgelopen zou zijn.

We stonden tegelijk op en liepen om elkaar heen. Bij het passeren prikte ze met haar wijsvinger in mijn buik, zachtjes. 'Werkse.'

'Slaap lekker.'

Ik baalde toen ze uit het zicht was verdwenen. Met mijn ogen dicht volgde ik haar de trap op, terwijl ze haar badjas gesloten hield. De onderkant van de jas tot halverwege haar kuiten, precies op het punt waar je bij het afwikkelen van de voeten, net boven de achillespezen, spieren kan zien aanspannen. Ik volgde haar over de houten vloer, tot de deur van een kamer, zag de badjas op de grond vallen en haar in bed kruipen, naast een snurkende homp vlees.

Ik keek om me heen en telde voor de tweede keer deze nacht de couverts die ik moest dekken. Bij het overeind komen voelde mijn linkerknie stijf. Ik liep naar de balie en opende het kastje van de mappen met persoonlijke gegevens van de hotelgasten. In de map van vandaag, zaterdag, zaten twee ingevulde formulieren, voor beide families één. Hoe de kamers waren verdeeld, stond er niet in. Alleen de gegevens van de twee hoofdboekers waren ingevuld. De een was Gerards, zoals die corpsbal haar had genoemd. Het formulier van de andere familie stopte ik terug in de map.

Het eerste wat me opviel was dat haar familie ook in een dorp aan de westzijde van de stad woonde, wat op zichzelf niet bijzonder was. Veel van de hotelgasten kwamen uit de buurt, net kinderen die het spannend vinden om in hun eigen achtertuin te kamperen.

Ik liet het adres van de familie Gerards tot me doordringen, herhaalde het een aantal keren binnensmonds. Ik wist wel ongeveer waar het was en hoe ik er moest komen; enkele kilometers provinciale weg, een paar rotondes, rechts aanhouden, en dan de weg langs het kanaal volgen en uitrijden. Daar ergens. Vrijstaande huizen.

Vanaf die nacht reed ik zowel voor als na een nachtdienst langs haar ouderlijk huis. Maar vanaf de straat kon ik niet naar binnen kijken, aan de zijkant van het grindpad tussen de garage en het hek onttrokken een zonnewijzer en een boom het zicht op de ramen aan de voorkant van het huis. De enige kans om haar te zien was als ze in de tuin liep, over het grindpad, of buiten het hek.

Ik zag haar niet één keer.

Tijdens de nachten die mij nog restten in het hotel, hield ik de kamerindeling en de restaurantreserveringen scherp in de gaten. Mocht ik haar familienaam tegenkomen op een dag dat ik niet hoefde te werken, dan zou ik proberen mijn dienst te ruilen, of als het echt niet anders kon, een extra nacht te draaien. Maar dat was allemaal niet nodig, in het hotel zou ik haar niet meer zien.

3

Merel loopt met de handen op haar rug door de woonkamer, zoals ze ooit met mij huizen bekeek met een makelaar. 'Man, er is werkelijk níets veranderd hier. Maar
het is wel opgeruimd, dat moet ik je nageven.'

Onderuitgezakt op de bank kijk en luister ik naar
haar. Ik denk terug aan de uren hiervoor, aan de wijn
die niet hielp bij het schrijven. Aan het stofzuigen, de
mand met oud papier die ik heb geleegd, de posters die
ik heb weggegooid. Ik denk aan de deurklink van de
tussendeur die ik eindelijk heb vastgeschroefd.

Ze hurkt om een fotoboek tussen de andere uit te
trekken, haar truitje kruipt omhoog. Met haar vrije
hand voorkomt ze dat er boeken van de plank vallen.
Ze legt het boek op de grond, slaat het open en grinnikt. 'Ons eerste weekend weg. Mag ik deze ook meenemen?' Het mag van mij, het maakt me niet uit of ze
het boek komt terugbrengen, laat staan wanneer. Ze
stopt het in haar tas en pakt blindelings het fotoboek
waaraan ik haar bezoek heb te danken. Hier op de bo-
venetage, waar we samen waren ingetrokken tegen het
einde van onze studie.

Nippend van de wijn die ik heb klaargezet, bladeren
we erdoorheen. Naast elkaar op de bank, mijn rechter-

39

been raakt bijna haar linker. We herbeleven onze week in New York, een tripje dat we van haar ouders cadeau hadden gekregen na ons afstuderen. Ik kijk zijdelings tussen haar borsten, borsten die me zo vertrouwd voorkomen als haar aanwezigheid in deze kamer. We lachen om de kleine Pakistaan die ons in een soort riksja door het heuvelige Central Park trok, op een broeierige dag. Hij trapte op de pedalen van zijn fiets zonder versnellingen en de zweetvlekken op zijn rug werden talrijker en groter, terwijl hij ons van alles probeerde uit te leggen over waar we langs fietsten, maar door zijn gehijg en matige taalbeheersing verstonden we er niets van. Na drie kwartier stapten we af en gaf ik hem tien dollar meer dan we afgesproken hadden. Hij bedankte ons geluidloos, zweetdruppels rolden in zijn mond.

Bij elke bladzijde halen we herinneringen op. Merel drinkt haar eerste glas wijn leeg, ik heb de rest van de fles al opgezopen. Zonder iets te vragen, trek ik een goeie fles uit het rek en loop ermee naar de keuken om 'm open te maken.

Als ik terugkom, staat Merel met een ingelijste groepsfoto in haar handen. 'Wat een knalfeest was dit.'

Ik schenk de glazen vol en knijp mijn ogen samen om ze af te stellen op de foto, ook al kan ik het beeld met mijn ogen dicht beschrijven. Merel zit daar voor me, tussen mijn benen. Maffiafeestje. Alle mannen hebben gleufhoeden op en kettingen om hun nek. Ze dragen een smoking of trainingspak. Allemaal met witte gezichten van de bloem die we in glazen schaaltjes op tafels hadden gezet, met opmaakspiegels en opgerolde biljetten ernaast. De vrouwen zijn hoeren.

Ze mompelt: 'Dit was het jaar voor we...'

Ik loop naar haar toe en houd de fotolijst vast, alsof dat nodig is om het me te kunnen herinneren. 'Was het niet het jaar daarvoor?' vraag ik, maar ik weet niet waarom ik het vraag, ze heeft gelijk. Meer nog dan het feest, herinner ik me ons daarna in bed. Ik zie haar weer op me en onder me en naast me en voor me.

Dan dringen de beelden zich aan me op van hoe het er de laatste maanden van onze relatie aan toeging. Voor veel vrouwen is het ongetwijfeld een zegen als het lang duurt voordat een man zijn hoogtepunt bereikt. Het wordt minder aangenaam als een man conditioneel eigenlijk niet tot meer dan twintig of dertig stoten in staat is en zich hevig zwetend en puffend op en neer beweegt.

Drinken hielp wel, maar dan waren er weer andere problemen.

Merel zet het fotolijstje terug en gaat zonder mij aan te kijken op de bank zitten. Haar tasje tussen ons in. Daarop verruil ik de bank voor de rand van de tafel, recht tegenover haar.

Ze kijkt langs me heen, waarschijnlijk naar de foto.

Ik vraag naar de reis waar ze het in de videotheek over had.

Ze knippert met haar ogen en vertelt volgende maand te vertrekken met de Trans Mongolië Express richting China, 'gewoon omdat ik dat al heel lang wil', en vanaf daar reist ze af naar Sri Lanka om vrijwilligerswerk te doen op een school vlak buiten de hoofdstad. Ze noemt de naam van de school en vertelt over haar contactpersoon alsof die al jaren deel van haar leven uitmaakt. Via e-mail heeft ze veel foto's met onderschriften gekregen, ze wil de kinderen en collega's vanaf het eerste moment bij hun namen kunnen aanspreken. Het enthousiasme gloeit op haar gezicht, ze praat veel met haar handen.

'Wat vindt hij ervan?' vraag ik. 'Die kerel van vanmiddag?'

Ze haalt haar schouders op en zet het glas wijn aan haar lippen. 'Heb ik hem eigenlijk nooit gevraagd.' Ze neemt een flinke slok en kijkt daarna met een waterige blik in haar halflege glas. 'Ik weet niet eens of hij een blijvertje is. Volgens mij doe ik het vooral voor de seks, ik ben er nog niet helemaal uit.'

'Slet.'

We kijken elkaar een paar seconden aan en schieten in de lach. Ik zit nu echt op het uiterste randje van de tafel, haar knieën tussen mijn benen, op nauwelijks twintig centimeter voor mijn kruis, onze hoofden op nog kortere afstand, de ogen op elkaar gericht. Ik doe net of ik haar benen vasthoud om in balans te blijven en laat mijn handen te lang liggen, maar ze staat het toe. Als ik er zachtjes in knijp en iets naar voren buig, schuift ze naar achter. Ze slaat haar benen over elkaar.

'Wat doe je?'

'Sorry, ik... dit was niet de bedoeling.'

'Misschien heb ik je de verkeerde signalen gegeven, hier was ik niet op uit.'

'Ik ook niet. Geloof me.'

Ze drinkt haar glas leeg, stopt het fotoboek van New York in haar tas bij het andere fotoboek en staat op. 'Dit was toch geen vergissing, Eddie?'

'Nee, natuurlijk niet. Kom, laten we nog een glaasje doen.'

'Lijkt me niet verstandig. Ik kan beter gaan.'

Bij de voordeur geef ik haar drie zoenen op de wang, zij zoent lucht en wandelt naar haar auto.

Ik doe de deur dicht en sprint naar boven. Net als ik voor het raam sta, stapt Merel in. Bij het dichttrekken van het portier kijkt ze mijn kant op. Ik steek mijn hand omhoog, meer een stopteken dan een afscheidsgebaar. Hierop tilt zij haar vrije hand op, alsof niemand de indruk mag hebben dat ze naar mij zwaait. Ik druk mijn neus tegen het raam om haar de straat uit te zien rijden. Als hij loskomt van het koude glas, blijven er vlekjes achter.

Op de bank staar ik afwisselend van het toetsenbord naar het beeldscherm, naar de twee lege wijnglazen. Ik schenk ze allebei vol, drink ze achter elkaar leeg en vul een van de glazen opnieuw. Klik het bestand dat ik had geopend voor ik begon met opruimen en schoonmaken tevoorschijn. Ik leun achterover en van een zo groot mogelijke afstand staar ik naar het document, alsof de woorden me dan minder hard kunnen raken. Razendsnel lees ik: *In mijn dromen vecht ik voor ons en bescherm ik haar. Ik vecht tegen de omstandigheden, die wij overwinnen. Maar het zijn dagdromen en die kan ik dresseren, dan kan ik ingrijpen, precies zoals ik toen had willen ingrijpen. Hoe ik had willen zijn. In dagdromen ben ik een held, maar ik blijf de stem van haar vader horen, zo angstaanjagend zuiver. En dan vooral de woorden: let je goed op mijn dochter? 's Nachts dringt zijn stem zich ook op. Als een geluid dat overal ter wereld opduikt, dat overal hetzelfde klinkt. Zoals het breken van een takje onder je voet. In dromen ben ik gewoon mezelf en onderga ik alles lijd-*

zaam. In dromen kijk ik door mijn eigen ogen en doe ik niets.

Tijdens het lezen, heb ik het glas leeggedronken. Weer eentje inschenken maar. Ik open *De kleptomaan die niet stelen kon*, het script dat uit één halve scène bestaat. Die halve scène kort ik voor de helft in en ik sla de laptop dicht, zet de tv aan.

De laatste slok van de fles stroomt door mijn keel als de bel gaat. Bij het opstaan moet ik me aan de armleuning van de bank in evenwicht houden. Ik sla een paar keer in mijn gezicht, breng de glazen en de fles naar de keuken, leg mijn laptop weg en ga naar beneden om de deur open te doen.

'Woont hier ene Eddie?' Charlotte staat met een glimlach voor me en geeft me drie zoenen, op gepaste afstand van mijn mond. Hoewel ik haar zelf heb uitgenodigd, heeft het iets vreemds, een klant die bij mij thuis langskomt. Ze drukt een boekenbon in mijn handen. 'Dat is bij jou wel in goede handen, dacht ik.' Ze maakt geen aanstalten om binnen te komen, doet zelfs een stap naar achteren.

'Kom je niet even binnen?'

Charlotte houdt met één hand haar jas dicht en speelt in de andere hand met haar sleutelbos. 'Ik moet meteen weer door.'

'O, maar je zei toch dat...'

'Weet ik, maar ik moet nog van alles doen. Maar omdat je er zo op aandrong, wilde ik best even langskomen om je te feliciteren.'

'Ik heb speciaal voor jou wijn gehaald.'

'Speciaal voor mij? Er zijn vast andere gasten die ervan kunnen drinken, toch?'

'Er zijn geen andere gasten.'

Charlotte kijkt op haar horloge. 'Het is negen uur. Komt er niemand meer?'

'Weet ik niet. Maar de mensen die misschien komen, drinken geen wijn.' Ik besef hoe treurig dit allemaal overkomt, maar het lijkt me de enige manier om haar binnen te krijgen. Medelijden als laatste redmiddel.

'Ik heb hier eigenlijk geen tijd voor, Eddie.'

'Eén wijntje kan toch wel? Eentje maar. Kom.'

Ze zucht en kijkt weer op haar horloge. 'Vooruit, eentje dan.'

Boven neem ik haar jas aan en hang 'm aan hetzelfde haakje als waar Merels jas een paar uur eerder hing. Het is voor het eerst dat ik Charlotte met een jas aan zie. Onze maandelijkse afspraken vinden altijd plaats op haar kantoor. Als ik rond lunchtijd langskom, gaan we wel eens naar buiten, maar alleen als het een mooie lente- of zomerdag is. Dan lopen we rondom een vijver, de ene keer met z'n tweeën, de andere keer met collega's van haar. Als ik met de handen in mijn zakken loop, haakt ze vaak een arm in de mijne en als ze mij wil onderbreken of ergens op attent wil maken, knijpt ze zachtjes in mijn bovenarm of pols. In het begin moest ik daaraan wennen, maar ze is het type dat je kort aanraakt zonder bijbedoeling. Ik zie het haar ook bij collega's doen. Over werk gaat het tijdens die wandelingen nooit. Dat bespreken we bij het eerste bakkie koffie. 'Hebben we dat maar gehad,' zei ze in het begin. Bij het tweede bakkie was alles wel doorgesproken. Veel valt er ook nooit te bespreken, net als bij de rest van mijn klanten. Meestal leveren zij zelf hun advertenties aan. Ik kom langs voor de details over frequentie, afmetingen, prijs en speciale acties.

De afspraken met Charlotte plan ik altijd ruim in. Ruimer dan andere. Er zit altijd iets te lezen in mijn tas om de tijd door te komen tussen de bezoeken door. Ik kies soms voor een omweg, het liefst door polders en dorpen, en parkeer dan op een onverhard pad voor een hek, waar ik naar koeien staar, of gewoon in de verte. Eén keer viel ik in slaap, maar toen ik wakker schrok van een voorbijrazende auto, bleek ik me nog steeds niet te hoeven haasten voor de volgende afspraak.

Charlotte zegt iets over de etage en gaat op de bank zitten. Zonder te vragen wat ze wil drinken, loop ik naar het wijnrek.

De glazen schenk ik net iets te vol en zet ik net iets te hard op tafel. Met twee vingers veeg ik de druppels weg, ik lik ze af. 'Zonde om te verspillen,' zeg ik en ik plof naast haar op de bank. Zo dicht als Merel en ik tegen elkaar aan zaten.

Charlotte schuift een stukje opzij. 'Je tanden zijn zwart.'

Ik weet niet wat ik daarop moet zeggen en hef mijn glas. 'Op mij!'

'Ja,' zegt zij na een paar tellen. 'Op jou dan maar.'

We nemen een slok en dan vraagt ze met wie ik aan de wijn heb gezeten. 'Toch niet alleen, hoop ik?'

'Waar zie je me voor aan?' Mijn lach klinkt vreselijk nep. Ik kan nu zeggen dat er vrienden en familie zijn langs geweest, maar dan moet ik weer oppassen dat ik me straks niet verspreek, dat ik niet in mijn leugens verstrikt raak. 'Mijn ex, Merel, kwam een fotoboek halen.'

'En toen hebben jullie wat herinneringen opgehaald?'

'Precies.'

'Gezellig.'

'Ja.'

Ik neem een grote slok, drink mijn glas leeg en vul bij.

Zij nipt, zet haar glas neer en kijkt weer op haar horloge. En nog een keer.

'Hoe heb je haar eigenlijk leren kennen?' doorbreekt Charlotte de stilte.

Ik wijd uit over mijn korte leven als nachtreceptionist en beschrijf de ontmoeting met Merel. Van daaruit beland ik bij mijn volgende baantje als taxichauffeur, bij de dronkelappen en hoerenlopers die ik heb vervoerd, de vreemde plekken waar ik heen ben gereden.

Ze glimlacht lief en bijt soms in haar onderlip, een enkele keer schiet ze in de lach. Vooral van herkenning.

We wisselen wat ervaringen uit, maar ik luister niet naar de hare en praat maar door. Zonder erbij na te denken, dwaal ik af en vertel dat ik zelf ooit in een dronken bui uit een taxi ben weggerend na een rit die bijna tweehonderd euro kostte. Dat ik zo gewiekst was om de chauffeur ijskoud leugen na leugen over mezelf te vertellen en me op een ander adres af te laten zetten, zodat hij me nooit zou kunnen traceren.

'Ik wees naar een huis en zei dat ik binnen geld had liggen. Eerst geloofde hij me niet, maar ik overtuigde hem op een of andere manier dat ik na twee minuten terug zou zijn en dat-ie gewoon kon aanbellen als het langer zou duren. "Daar, nummer 4, zie je?" En toen ik hem ook mijn speciale uitgaansportemonnee gaf waar een tientje in zat, maar verder helemaal niets, zei hij "Vooruit dan." Ha! Dus ik stapte de auto uit, zei "tot zo" en wandelde kalm de steeg in, waar ik na een paar meter begon te rennen, te sprinten. Maar mijn benen voelden stijf door de taxirit, ik droeg zware schoenen en mijn leren jas hing open, dat maakte het rennen niet makkelijk. Bijna aan het einde van de steeg hoorde ik gevloek en gehijg. Hij was al halverwege en ik overwoog me over te geven, maar ik besefte dat het te laat was voor excuses, voor overgave. Blijven rennen was de enige optie en hij kon niet achter me aan blíjven rennen, leek mij. Ik voelde me op slag nuchter en helder, wist precies waar ik was, welke route ik moest volgen om nooit langer dan een paar seconden in zicht te zijn. Hij schreeuwde "Ik maak je af", maar ik zag hem niet en nadat ik over een bruggetje was gerend, hoorde ik ook niets meer. Ik bleef een paar seconden staan en jezus, wat was het ineens stil. Daarna schuilde ik in de achtertuin van een huis en bleef zeker tien minuten zitten, in de aarde, met mijn rug tegen de schuur. Ik kon mijn ademhaling niet controleren en was duizelig en misselijk, maar fuck, ik wist dat ik goed was weggekomen en – '

Hoofdschuddend en met open mond kijkt Charlotte me aan. Ik besef ineens tegen wie ik aan het ratelen ben, dat de commercieel manager van het grootste touringcar- en taxibedrijf van onze streek in mijn woonkamer zit.

Ik probeer te redden wat er te redden valt door een paar keer te zeggen dat het wel tien jaar geleden was gebeurd – ook al was het pas een jaar of twee terug, kort nadat Merel en ik uit elkaar waren. 'Het was een jeugdzonde. Had ik niet moeten doen.'

'Je zit het anders behoorlijk trots te vertellen. Je moest eens weten, man. Weet je wel wat klootzakken als jij ons jaarlijks kosten?'

'Oké, oké. Laten we het over iets anders hebben, over jou. Over belangrijke dingen, over jouw drijfveren in het leven.' Het woord drijfveren komt er moeizaam uit en ik slik een boer in. Ik ga weer zitten en schuif naar haar toe. Leg een hand op haar been en probeer haar te zoenen.

Ze duwt me weg, springt op en zegt: 'Nu ben ik weg.'

Ik spring over de bank heen, duw de tussendeur dicht en ga er met mijn rug tegenaan staan. 'Alsjeblieft, blijf nog even.'

Charlotte staat een meter bij me vandaan, maar stapt naar achter, zoals toen ik voor haar opendeed. Ze wuift de walm uit mijn mond op wel erg theatrale manier weg. 'Ik vind dit nu eng, Eddie. Laat me erdoor.'

'Maar je bent er pas net.' Er komen spetters uit mijn mond.

Zij wrijft in haar ogen. 'Eerst dacht ik dat je me zo vaak mailde en sms'te over je verjaardag omdat je zoveel mensen had uitgenodigd dat je niet meer precies wist wie je nou had uitgenodigd. Toen was ik ook echt van plan om er een avondje van te maken.'

'Dat kan toch nog steeds?'

'Luister,' zegt ze op harde toon. 'Na weet ik hoeveel mailtjes en sms'jes kwam je een beetje wanhopig over, maar ik gaf je het voordeel van de twijfel. Sorry dat ik het zeg, maar ik word nu gewoon bang van je.'

'Ik vind dat je overdreven reageert.' De r'en in het woord overdreven zijn waterig.

'Dat mag jij vinden. Wil je opzij gaan?'

'Maar...'

'Opzij!'

Ik spring opzij en houd de deur voor haar open. Ze

grist haar jas van de kapstok en sjeest de trap af. Ik volg haar.

'Ik kom er zelf wel uit,' roept ze over haar schouder, waarop ik zeg dat ik achter haar aan loop om de deur op slot te doen omdat die niet uit zichzelf in het slot valt. 'Je zegt toch niets tegen...'

'Ik zie je over twee weken op mijn kantoor, slaap je roes uit.'

Ze trekt de deur hard achter zich dicht.

Ik ren naar boven, mijn neus weer tegen het koele glas. De koplampen van haar blauwe Mini met witte strepen knippen aan.

Er valt een deurklink op de grond als ik de slaapkamerdeur dichtsmijt. Ik ga op de rand van het bed zitten en laat me achterovervallen.

4

Als taxichauffeur hoopte ik op lange ritten met mensen die geen behoefte hadden aan een praatje. Tijdens het rijden broeiden er dan ideeën en voelde ik me geen taxichauffeur maar gewoon een willekeurig wegdromende automobilist.

Regelmatig keerden mensen die in mijn taxi hadden gezeten als personages terug in mijn probeersels. De anekdotes die ik aanhoorde waren uitgangspunten van verhaallijnen en sommige werkte ik zowaar uit. Soms stopte ik onderweg zelfs om ingevingen te noteren in een boekje en thuis ramde ik er dan in enkele uren een kort verhaal uit. Prozaïsche verhalen op basis waarvan ik later scenario's wilde schrijven. Om de kwaliteit ervan te toetsen, stuurde ik ze naar bescheiden literaire tijdschriften, met wisselend succes.

Op een avond moest ik naar het hotel waar ik als nachtreceptionist had gewerkt. 'Laatste ritje voor vanavond, Eddie,' zei de centralist, die zich door de ruis op de lijn aan de andere kant van de wereld leek te bevinden. Hij klonk als een vaste klant die ik eerder vanavond had thuisgebracht, een broodmagere man die elke dag vanuit zijn werk naar zijn stamkroeg wandelde en zich daar in een paar uur tijd volgooide met bier en jenever. Samen met de uitbater, die de taxirit vooraf betaalde en het tientje gewoon op zijn rekening zette, tilde ik hem de auto in. Vijf minuten later takelde ik hem er alleen uit en sleepte de man naar de voordeur van zijn huis, haalde de huissleutel uit zijn rechter-broekzak, en liet hem binnen op de bank vallen. Het verhaal dat ik over hem schreef werd nooit ergens ge-plaatst, te clichématig.

De parkeerplaats van het hotel stond vol. Ik dacht te-rug aan hoe ik hier tot een paar maanden geleden tegen elf uur 's avonds mijn auto in het grind parkeerde, tus-sen allemaal dikke bolides, en hoe ik opzag tegen de nacht als ik uit de auto stapte en de stemmen mij vanuit het restaurant tegemoet waaiden. Hoe ik hoopte dat ie-dereen snel zou vertrekken. Ik dacht aan hoe ik bier dronk om in slaap te kunnen vallen op dat ongemakke-lijke bankje waarop geen camera gericht stond, en hoe dat slapen nooit lukte.

Ik reed tot voor de ingang van het restaurant, stapte uit en wachtte op mijn klanten. Ik pakte een steentje op van de grond en gooide dat over de heg, naar waar de fontein ongeveer moest zijn. Ik hoorde geen plons, maar mijn aandacht werd afgeleid door twee mensen die op datzelfde moment het restaurant verlieten. Het licht uit de lampen links en rechts boven de ingang gaf hun gezichten kleur.

Ik zag meteen dat het meisje van enkele maanden ge-leden een van mijn twee klanten was. Tot een paar we-ken na mijn laatste nachtdienst in het hotel was ik te-vergeefs langs haar huis blijven rijden. Alleen de man met de donkere krullen, voor wie ik die ene nacht een jongen naar zijn hart was geweest, had ik een paar keer in en uit een auto zien stappen.

De arm van een man lag om haar nek, zij hield met twee handen haar tasje vast en keek naar de grond. Op een meter of drie van de auto zag ik dat hij die corpsbal was die een euro op de balie had gegooid, voordat hij haar over zijn schouder naar boven had getild.

Hij wees met zijn vrije arm mijn kant op en ze struinden door het grind. Ik hield het portier alvast open. Zij wrong zich van hem los. Twee stappen verder keek ze voor het eerst op.

'Tijd geleden,' merkte zij glimlachend op.

Hij zat recht achter me en lag met zijn hoofd tegen het raam, murmelde iets wat ik niet kon verstaan. Zij leunde schuin naar voren en fluisterde vlak bij mijn oor: 'Niet naar hem luisteren,' en ze noemde twee adressen waar ik heen moest rijden.

'Geen probleem,' zei ik en ik besefte dat ze niet het mij bekende adres had genoemd.

Ik trok op, het grind knarste onder de auto. In mijn binnenspiegel hechtten onze ogen zich aan elkaar en ik had niet het gevoel weg te moeten kijken, behalve om het verkeer in de gaten te houden.

Hij schoof steeds tegen haar aan, zij bleef hem wegduwen.

Ze vroeg: 'Werk je niet meer bij het hotel?'

'Ik had al ontslag genomen vóór die keer dat jij in het hotel was.'

'En nu dus taxichauffeur?'

'Nu dus taxichauffeur.'

'Is de eenzaamheid nu dan, hoe zal ik het zeggen, draaglijker?'

Na een paar seconden zei ik: 'De eenzaamheid van de weg ligt mij beter dan die van het hotel.'

'Draaglijker dus.'

Ik lachte. 'En ik hoef geen hele nacht door te halen. Dit is mijn laatste rit.'

Eenmaal bij het eerste adres schoot hij opeens overeind. Ik kon het niet zien, maar omdat hij zijn mond afveegde, vermoedde ik dat hij een vlek op het raam had achtergelaten. Hij stak zijn hoofd tussen de hoofdsteunen en ik rook een scherpe melange van tabakslucht en drank. Vanuit mijn ooghoek zag ik zwarte lippen en tanden.

'Zeg, chauffeurtje, volgens mij had ik jou gezegd dat we naar het centrum moesten. Ziet dit eruit als het centrum?'

Voordat ik kon antwoorden, trok zij hem naar achteren. 'Ik heb hem gevraagd jou naar huis te rijden. Doe niet zo arrogant, man.'

'We gingen toch met z'n tweeën stappen? Wat is dit nou?'

'Dat zei ik alleen maar om weg te kunnen. En jij kunt ook beter gaan slapen.'

'Dat bepaal ik godverdomme zelf wel!' Hij trok zijn wenkbrauwen op, probeerde op zijn horloge te kijken en sloeg met zijn andere hand op de achterkant van mijn stoel. 'Doorrijden naar het centrum! Schiet op eikel, anders komen we nergens meer binnen.'

'Michiel!'

'Jij moet ook je bek houden.'

'Beetje rustig, jij!' riep ik en ik trapte op de rem, een huis of vijf verwijderd van het huisnummer dat zij me had ingefluisterd. 'Jij stapt hier gewoon uit.'

Hij schreeuwde: 'Bemoei je er niet mee, loser!' Hij kneep in de spier tussen mijn nek en rechterschouder. 'En het is ú voor jou. *U*.'

'Doe normaal!' Zij sloeg op zijn armen.

Ik trok me los, deed mijn riem af en stapte uit. Toen ik naar de hendel aan zijn kant reikte, zwaaide de deur keihard open tegen mijn uitgestoken hand en dichtstbijzijnde knie. 'Ah!'

Hij duwde me en ik viel om, met mijn heup op de stoeprand. Grassprieten van het perkje in mijn nek, natte aarde op mijn wang. Mijn knie bonkte en de kou van de straatstenen drong door mijn broek heen. Er sloeg een deur dicht.

Hij hurkte voor mijn gezicht neer, raakte bijna uit balans, maar plantte voor ik kon reageren een knie op mijn schouder, precies op een spier. Ik kon geen kant op. Zijn hand werd een vuist en ik kneep mijn ogen dicht. Ik snoof de geur van natte aarde op en wilde er mijn gezicht in verbergen.

'Au! Godver!' Mijn belager helde naar achter. 'Laat me los, kutwijf dat je bent.'

'Meekomen.' Ze draaide zijn arm achter zijn rug en trok hem bij me weg, met haar andere hand trok ze aan zijn haar.

Hij kreunde en schold haar uit. 'Merel! Teringwijf!' Ze gaf een knietje in zijn onderrug en draaide zijn arm strakker aan. 'Au! Hoer!'

Ze deden een paar stappen achteruit en toen gooide ze hem voorover over een hek. Hij kon nog net een hand uitsteken voordat hij met zijn gezicht in de bloemen belandde.

Merel liep zonder omkijken mijn kant op.

Hij rolde langzaam op zijn rug, spreidde zijn armen en bleef liggen. 'Teringwijf...'

We stapten de auto in. Met haar warme en zachte

vingers veegde ze gras van mijn kin, aarde van mijn wangen.

'Gaat het een beetje?'

Mijn voeten trilden op en boven de pedalen.

'Lekkere vriend heb jij.'

'Dat is mijn vriend helemaal niet, man. Nooit geweest ook. Godzijdank niet.'

De pijn in mijn lijf stierf weg. Ik wilde mijn hart uitrukken en dat als een trofee uit het raam houden. Ik wilde toeteren en slingeren, een lange omweg maken. 'Hij is gewóón een vriend van je?'

'Zelfs dat niet.' Merel schudde haar hoofd en vroeg of ze mocht roken in de auto, wat ik geen probleem vond. Ze viste een pakje uit haar tas, tikte er een sigaret uit, zuchtte en zei: 'Die kwijlebal is de zoon van de compagnon van mijn vader. Toen jij er nog werkte, hadden we een etentje plus overnachting omdat het bedrijf 25 jaar bestaat. Vanavond was het traditionele eindejaarsdiner. Als ze dat nou hadden gecombineerd.' Ze deed het raampje aan haar kant een paar centimeter open en zuchtte de rook naar buiten. 'Zijn compagnon stapt eruit, dus die etentjes met beide families zijn nu godzijdank voorbij. Hoef ik die sukkel ook nooit meer te zien. Wat een verwend ventje is dat, krijgt alles van pappie. Mijn vader is juist een selfmade man, hij vindt Michiel ook zó'n eikel.'

'Ben jij zelf niet verwend dan?' probeerde ik, met een kleine knipoog.

'Ik heb een baantje!'

'Bij je vader zeker?'

Ze schoot in de lach. 'Jij durft wel. Heb je niet gezien wat ik net met Michiel heb gedaan?' Ze nam een korte trek van haar sigaret en de rook die ze in mijn richting uitblies, werd in tegengestelde richting naar buiten gezogen.

Een van de appartementen in het blok waarvoor ik mijn taxi parkeerde, was van haar vader. Totdat er een huurder kwam die genoeg wilde betalen, mocht zij er wonen.

Ze had net niet genoeg geld bij zich om de rit te betalen en nodigde me uit om wat te drinken. Dat had ik bovendien wel verdiend.

Ze pakte mijn hand en ging me voor het appartement in. Het licht bleef uit en we liepen naar een groot raam. Daar liet ze mijn hand los om drinken te halen. Ik drukte mijn neus tegen het glas om me ervan te vergewissen dat het uitzicht geen muurschildering was. Voor mij ging de hemel over in de zee, aan de horizon knipperden lichtjes. Het strand strekte zich links en rechts voor me uit, zo ver ik kon zien. De boulevard baadde in een oranjeachtig licht.

In de weerspiegeling van het glas zag ik haar twee glazen op tafel zetten. Even later voelde ik haar warme adem in mijn nek, haar borsten tegen mijn rug, haar buik tegen mijn billen. Haar handen vlochten zich in de mijne, gleden over haar eigen benen en billen en gingen over op mijn heupen, mijn buik, mijn borst.

Ze draaide mij met mijn rug tegen het glas. Eerst sabbelde ze even aan mijn oor, daarna besprongen onze tongen elkaar, zoals ik me dat had voorgesteld toen ik haar in het hotel voor het eerst had gezien. Alles was zoals ik me dat had voorgesteld, maar langer, liever en intenser. En er liepen geen mensen voorbij.

Voordat ik de volgende ochtend vroeg de taxi ging om-
ruilen voor mijn eigen auto, liep ik naar het grote raam
in de woonkamer. De zon bescheen alleen de voorste
helft van de kamer, stofdeeltjes dansten in het licht. Als
de televisie had aangestaan, zou je er vanuit geen enkele hoek in de kamer iets op kunnen zien. Op de smette-
loze tafel in het onverlichte deel van de kamer lagen
boeken. Netjes op elkaar gestapeld, ernaast gelabelde
plastic mapjes. Een laptop en een schrijfblok met daarbovenop een pen. Merel hoefde alleen nog maar aan te
schuiven en dan zou ze aan de slag kunnen gaan met
haar studie, internationale handel. Haar propedeuse
had ze na een jaar binnen, vertelde ze me die nacht tussen de tweede en de derde keer, terwijl ze iets van
Anouk opzette en een punt van haar laken tot microfoon rolde. Op haar knieën was ze op bed gevallen en
weer op me gekropen, de microfoon onder mijn neus.
Are you kidding me. De punten van d'r haren in mijn
mond en ogen.

De nacht erop gingen we om een uur of drie of vier of
vijf naar buiten. Het was nacht in elk geval, een zachte
nacht voor de tijd van het jaar. Net als de nachten erop.
We wandelden over de boulevard, onder het flauwe
schijnsel van de maan. Tussen de wereld en de zee. Er
waren geen kleuren, alleen de lichten van schepen in de
verte. Voor ons de contouren van de duinen. 'Wist je
dat de enige giftige slang van Nederland in duinpannen
leeft?' vroeg Merel.

'En in dierentuinen dan?'

Ze kneep in mijn kont. Van haar vader had ze ooit gehoord dat er zich in duinpannen duinadders schuilhiel-
den. En die waren giftig. 'Maar misschien is het wel

een fabeltje, zodat ik niet onder het prikkeldraad door zou kruipen.'

'Zoals ouders je als kind wijsmaken dat je een rood spoor achterlaat als je in het zwembad plast.'

Ze hield me staande. 'Zeiden jouw ouders dat?'

'Dat heb ik eigenlijk best lang geloofd. Het schiet altijd door mijn hoofd als ik ergens zwem en moet plassen.'

Ze giechelde op een manier waar ik geil van werd, maar ze liep en huppelde en ademde ook op een manier waar ik geil van werd. 'Een rood spoor als je in het zwembad piest vind ik naïever... dan een giftige duinadder,' zei ze.

'Ook naïever dan op je achttiende nog niet weten dat Vlugge Japie dezelfde is als Bassie? En die ene baron dezelfde als Adriaan?'

Merel sprong op mijn rug en draaide aan mijn tepels, beet in een oorlel. Met grote stappen liep ik naar een strook grond tussen de duinen en de boulevard en dreigde haar in de hondenpoep te laten vallen.

We hijgden uit op een bankje, met de hoofden tegen elkaar, en wandelden weer verder. Mijn hand in de verste broekzak van haar joggingbroek, waar een gat in zat. Af en toe reed er een auto voorbij, maar verder was er geen mens te bekennen. De zee zuchtte van uitputting, na weer een dag getouwtrek met zand en schelpen. Meeuwen maakten het enige geluid waartoe ze in staat zijn.

Na drie dagen neuken en muziek luisteren en zo nu en dan een wandeling – het konden ook vier dagen geweest zijn of een week, ik voelde me net een ontwaakte comapatiënt – vroeg zij of ik haar naar haar ouders wilde brengen.

'Heb je eigenlijk broers of zussen?' vroeg ik in de auto, aan het einde van de boulevard.

Merel keek me aan alsof ik haar had gevraagd hoe vaak ze zichzelf per week vingerde. Bij het verlaten van een rotonde, zei ze: 'Ik heb je nog niet verteld hoe je moet rijden.'

'Gaan we niet goed?' vroeg ik en ik wilde mijn hoofd tegen het stuur rammen. Ik dacht aan de wegen waarover we straks zouden rijden, de rotondes die er nog zouden volgen, het lange stuk langs het kanaal. Ik zag het huis voor me waar ik haar zou afzetten. 'Moest ik er eerder af?'

'Nee, je rijdt goed.' Ze deed het raampje aan haar kant open en stak een sigaret op. Een koude bries waaide door de auto. Ze wees naar een rotonde in de verte. 'Daar neem je de eerste afslag.'

Om naar haar ouders te gaan, moesten we pas de derde afslag nemen. Even later parkeerden we voor een begraafplaats.

'Wonen je ouders hier al lang?' vroeg ik. 'Hebben ze leuke buren?'

Ze blies rook in mijn gezicht, wat prikte in mijn neus. 'Kom mee, grapjas.'

Schelpen snerpten onder onze voeten, de wind dreef gedempte geluiden uit de wereld over ons heen. Verder was het zo stil als tijdens onze nachtelijke wandelingen over de boulevard.

'Dit is Leendert.' We stonden voor een marmeren grafsteen die tot mijn middel kwam, het graf van haar oudere broer, die ze nooit echt had gekend. Ik trok de jaartallen die in het marmer waren gehouwen van elkaar af en stelde me een jochie van een jaar of zes voor.

Verspreid over de stenen plaat lagen bloemen. Aan de uiteinden stonden glazen met waxinelichtjes erin.

Onder een omgekeerd glas lag een dubbelgevouwen vel papier. Merel ging door haar knieën en haalde het eronder vandaan. Haar ogen gleden langs de regels en haar mondhoeken trokken omhoog. Ze gaf het velletje aan mij.

Gisteren zat je naast me in de auto
Weet je nog
Op een stapel kussens
Want eigenlijk was je te klein
Je lachte zoals die keer op het strand
Toen je de bal door mijn benen schoot
Voor het eerst
En voor het laatst
Weet je nog

'Mijn vader schrijft elke week een nieuwe. Hij slaat nooit een week over.'

Als hij voor zaken langer dan een week in het buitenland verbleef, vertelde Merel, schreef hij een extra versje in de week ervoor of stuurde hij het naar zijn vrouw die het dubbelgevouwen vel papier dan onder het glas legde.

Ik las het versje drie keer en zag de vriendelijke man met de donkere krullen en het fitte postuur voor me die ik in het hotel achter zijn vrouw aan de trap op had zien lopen. Die had gezegd dat ik een jongen naar zijn hart was, dat ik er wel zou komen.

'Mooi,' zei ik zacht. 'Mooi.' Ik vond het wat sentimenteel, maar jezus, de man had zijn kind verloren. Een begraafplaats is geen plaats voor kritiek.

Haar vader kwam op een ochtend zingend Leenderts kamer in. Blij om eindelijk eens zijn zoon te kunnen wekken, in plaats van andersom, want meestal sprong 'Leen' vroeg in de ochtend op het bed van zijn ouders en zong hij luidkeels flarden van liedjes die hij kende. 'Ik was pas vier, maar ik weet nog goed dat mijn vader hem urenlang in zijn armen wiegde. En dat ik met mijn moeder naar binnen was gegaan om Leen een kusje te geven.'

Merel wist niet of ze zich echt dingen van haar broer herinnerde, of dat alle foto's en verhalen de eigenlijke herinnering vormden. Dat er van herinneren misschien wel helemaal geen sprake was, alleen maar van het verlangen om te herinneren.

In haar jonge kinderjaren was het gezicht van haar vader of moeder het eerste wat Merel zag bij het wakker worden, haar eerste kennismaking met een nieuwe dag. Haar vader of moeder of allebei zaten elke ochtend aan haar bed, tot Merel aangaf zich daar te oud voor te voelen. In de jaren daarna merkte ze soms dat haar deur om de paar uur even open- en dichtging. Daar had ze nooit iets van gezegd.

Merel bukte om het versje terug te stoppen. Er was een periode in haar leven dat ze niet meer mee wilde naar het graf. Een periode dat Leendert altijd ter sprake kwam als haar iets niet lukte, omdat ze volgens haar vader haar best niet deed. 'Er is wat met deuren gesmeten,' zei Merel. 'Als hij me overhoorde moest alles goed zijn. Maakte ik één foutje op, laten we zeggen, honderd vragen, dan stuurde hij me weer een uur naar mijn kamer. En al won ik bij het tennissen met twee keer 6-0, dan had-ie nog wat te zeiken. Ik werd gek van die man.'

Merel haalde diep adem, trok mij zachtjes naar zich toe en liet haar hoofd op mijn schouder rusten.

5

Onderweg naar mijn eerste klant van de dag, denk ik aan de e-mail die ik aan Charlotte heb gestuurd voor ik het kantoor verliet. Ik had haar duidelijk proberen te maken dat ze mijn gedrag van gisteren niet serieus moest nemen en dat ik normaal gesproken wel goed tegen drank kan. We hebben pas over twee weken weer een afspraak, dus ik stelde voor om daarvoor even af te spreken. Iets drinken, een hapje eten.

Voordat ik de e-mail verstuurde, had ik de tekst wel twintig keer herlezen. Er hadden wat minder smileys in mogen staan.

Daarna had ik Merel een sms gestuurd om te laten weten dat ik trots op haar was dat ze die reis ging maken, dat ze de fotoboeken zolang als ze wilde mocht houden.

Na een bezoek van een halfuur sta ik weer buiten. Mijn volgende afspraak is over anderhalf uur en maar twintig kilometer verderop. Ik loop door het aangrenzende park, ga op een bank bij de vijver zitten en begin aan een boek over scenarioschrijven. Maar elke zin moet ik drie keer lezen voordat die tot me doordringt. Ik leg het boek neer, pak een handvol kiezels van de grond en gooi kringen in de vijver. Een paar eenden

klapperen met hun vleugels, komen tot hun onderlij-
ven uit het water omhoog, maar blijven op hun plek.

Mijn telefoon piept en ik schiet overeind, haal 'm uit
de binnenzak van mijn jas. Een bericht van iemand die
zich nu pas realiseert dat ik gisteren jarig was en me alsnog feliciteert. Ik wil de telefoon achter de kiezels aan
pleuren, maar ik heb Charlotte geschreven dat ze me
kan bellen en misschien laat Merel nog iets van zich horen.

Met kiezels die lekker in de hand liggen, probeer ik de
overkant van de vijver te halen, maar ook deze pogingen eindigen in kringen, die wel de overkant bereiken.

Er is nog niemand voorbijgelopen. Het pad is glibbe-
rig en de bomen zijn kaal. Een koude windvlaag
schuurt langs mijn nek en over mijn hoofd. Ik knoop
mijn jas dicht en loop terug naar de auto.

Het lukt maar niet een radiozender te vinden met
goede muziek. Ik heb nog 55 minuten tot mijn tweede
afspraak van vandaag en rijd door een polder en twee
dorpen, zodat de reis van een halfuur ongeveer een
kwartier langer zal duren.

Halverwege de twee dorpen zet ik mijn auto aan de
kant, voor een hek. De radio kraakt. Bij gebrek aan in-
spiratie voor *De kleptomaan die niet stelen kon* en andere goede verhaalideeën, fantaseer ik over een zevende seizoen van *The Sopranos*. Geestelijk vader David
Chase heeft gezegd dat het 'in principe' uitgesloten is
dat de serie wordt vervolgd, maar sinds de laatste aflevering gaat er geen dag voorbij of ik verzin openingen
om de serie nieuw leven in te blazen, met nieuwe conflicten, kersverse personages. Als *The Sopranos* op tv
of op internet ter sprake komt, trek ik een van mijn

dvd-boxen uit de kast en kijk ik binnen een paar dagen weer alle afleveringen van een seizoen. Voordat ik ga slapen fantaseer ik niet eens zozeer over de inhoud van de afleveringen van het zevende seizoen, maar vooral over alles eromheen, zoals mijn bezoek aan David Chase in zijn vakantiehuis in Frankrijk. Hij nodigt me uit nadat hij mijn script van de eerste aflevering heeft gelezen en we filosoferen vanuit hangmatten in zijn tuin over de serie, en tussendoor over het leven. We drinken wijn uit de streek en vergeten de tijd, zoals verliefde stellen op hun eerste vakantie.

Als ik dan nog niet in slaap ben gevallen, fantaseer ik over talkshows waarin ik mijn opwachting mag maken. Aan talkshowhost Jay Leno die maar niet kan geloven hoe zo'n jonge vent uit *The Netherlands* de grote David Chase en hoofdrolspeler James Gandolfini over kon halen om er nog een zevende seizoen aan vast te plakken. *'The script convinced them,'* zeg ik. *'Just the script. I am not important.'* Maar important ben ik zeker wel en glimmend van trots neem ik een Emmy in ontvangst. Omringd door David en James en andere belangrijke mensen word ik gefotografeerd, tot ik er sterretjes van zie.

Op Jay's vraag wat mijn volgende project is, zou ik antwoorden dat ik er niet veel over mag vertellen. *'But I think Godfather 4 is really gonna happen.'*

David Letterman zou me vragen wat ik hiervóór deed.

'I sold ads.'

'Really? You sold ads?'

'Yes, I sold ads.'

'Ads as in advertisements?'

'*Ads as in advertisements.*'

'*He sold ads!*' roept Letterman met een brede grijns naar het schaterende publiek. '*I guess those days are over?*'

'*Thank God,*' grijns ik.

Een keer droomde ik dat ik vastgebonden zat op een stoel en dat Tony Soprano tegen me schreeuwde dat ik zijn script had gejat. In een andere droom was ik Tony Soprano en beschuldigde ik iemand – die erg op mij leek en vastgebonden op een stoel zat – ervan mijn script te hebben gejat.

Vaak neuk ik Tony's dochter.

Ik kijk uit over het weiland. In de verte vliegen wat vogels, verder beweegt er niets. Er is een paar uur voorbijgegaan sinds ik Charlotte heb gemaild. Misschien heb ik door het lawaai van de snelweg en de radio mijn telefoon niet gehoord, maar er zijn geen nieuwe berichten. Mijn handen zijn klam, ik stap uit. Leunend over het koude hek realiseer ik me dat zij ook niet de hele dag achter de computer zit, dat ze vaak op pad is, of in overleg. Heeft ze deze week niet vrij? Ze kwam gisteravond ook zo laat langs. In twee sms'en vat ik de e-mail samen die ik vanochtend heb gestuurd.

Pas als ik het kantoor van mijn tweede klant verlaat, ontvang ik een bericht. Weer van iemand die gisteravond niet is langsgekomen. Ook van Merel nog geen bericht. Merel, de avonturier. Ik denk aan hoe ze bij mij op de bank haar reis voor me in beeld bracht, ik zie het enthousiasme weer op haar gezicht gloeien. Ik stel me haar voor in een trein die urenlang door droge landschappen dendert, en dan in een klas vol donkere kinderen in een veel te klein lokaal.

Ik wandel een winkelstraat in en stop bij de eerste de beste boekhandel. Met de boekenbon van Charlotte koop ik een boek dat ik al een tijdje wil lezen. Er staat niemand achter mij en als de baliemedewerkster bukt om iets van de grond te rapen, laat ik een van de literaire juweeltjes die op de balie zijn uitgestald in mijn jaszak glijden. En een handvol pennen.

Buiten bel ik Charlotte om te vragen of ze mijn berichten heeft ontvangen. Via haar voicemail laat ik weten welk boek ik van haar bon heb gekocht.

Tussen nu en mijn laatste klant van de dag is het een uur rijden en daar heb ik ruim een uur en drie kwartier de tijd voor. Onderweg stop ik bij een tankstation voor koffie. Na twee koppen stap ik weer in mijn auto, de radio laat ik de rest van de rit uit. Mijn telefoon ligt naast me op de bijrijderstoel.

Na de laatste klant eet ik iets in een wegrestaurant, twee broodjes zalm. Ik drink er droge witte wijn bij. Het is halfzes. Aan bijna elke bezette tafel zitten mannen in pak. Allemaal alleen. Bleek. Ze lezen iets, staren naar hun bord of gewoon voor zich uit. Over verlaten tafels zwiepen natte doeken, er klinkt geen muziek. Oude dames achter de kassa's dragen belachelijke bedrijfshoedjes, ze praten met elkaar terwijl klanten afrekenen.

Ik probeer Charlotte weer te bellen. Vlak voor ik het wil opgeven neemt ze op. 'Eddie!'

'Charlotte!' Mijn stem slaat over. Niemand in het restaurant kijkt op. 'Zeg het eens,' zeg ik.

'Zeg het eens? Jij hebt mij gebeld, hoor.'

'Macht der gewoonte, neem me niet kwalijk.'

'Luister, Eddie. Wil je ophouden mij te bellen en te

sms'en. Ik heb het hartstikke druk. Over twee weken zie ik je.'

'Ik heb je ook g–'

'Eddie, ik moet hangen. Doeg.'

Ik tuur naar het scherm van mijn telefoon en dan naar de mensen om me heen. Ik bel nog een keer, maar na twee keer overgaan word ik weggedrukt. Nog een keer, maar nu gaat-ie helemaal niet over. Er klinkt ook geen piep, ik hoor helemaal niets. Nog een keer. Niets.

Voordat ik vertrek, koop ik een flesje water voor in de auto. Er staan klanten aan beide kassa's en de caissières kletsen zonder ademhalen. Als ik bijna aan de beurt ben, stop ik een pakje kauwgom en een Kitkat in mijn broekzak.

Op weg naar huis rijd ik op de middelste baan en word links en rechts ingehaald. Mensen tikken op hun voorhoofd, geven groot licht, toeteren. Met twee handen aan het stuur concentreer ik me op de witte blokjes waar ik tussen probeer te blijven. Mijn ogen zijn droog, alsof ik de hele dag achter een computer heb gezeten.

Halverwege neem ik een afslag die me opnieuw door polders en dorpen voert. Straten met kinderkopjes, een laan met iepen erlangs, landwegen met scheuren in het wegdek.

Thuis staar ik me een uur blind op *De kleptomaan die niet stelen kon*. Een goed einde heb ik nodig, verdomme, eerst een einde. Nadat ik hier een uur over heb zitten peinzen, zoek ik naar de e-mail die Charlotte en haar toenmalige vriend een paar jaar geleden hadden gestuurd om me uit te nodigen voor hun housewarming. Onder aan de uitnodiging staat het adres en rond een uur of tien 's avonds rijd ik langs haar huis.

Tijdens het derde rondje stop ik op een hoek van de straat, onder een kapotte lantaarnpaal, meters achter haar blauwe Mini met witte strepen. Ik denk aan hoe ik jaren geleden langs het ouderlijk huis van Merel reed om een glimp van haar op te vangen, terwijl ze daar niet meer woonde.

Om halfelf gaat het licht beneden uit en dat van boven aan. Even later dimt het licht en zie ik haar silhouet voor het raam. Ze blijft een paar tellen staan en sluit dan de gordijnen. Er flikkert een tv. De hele tijd heb ik met mijn telefoon in de hand gezeten.

Vanaf het huis van Charlotte neem ik de kortste route naar het strand, naar de straat met kroegen waar Merel en ik de eerste jaren van onze relatie vaak naartoe gingen met vrienden. Ik parkeer mijn auto half op de stoep en staar naar de terrassen en de rode verwarmingslampen die volop aanstaan, ook al zit er bijna niemand. Aan het einde van de straat buigt de weg naar rechts, aan de overkant ligt een vierkant plein dat baadt in het licht van hotels en appartementen. In het grootste hotel hadden we een paar maanden voor we uit elkaar gingen een feest van haar ouders waarvan ik me niets herinner, alleen maar dat we op een trapje aan het plein hadden gezeten, omdat we binnen ruzie dreigden te krijgen. Er zat een meter tussen ons en we keken voor ons uit, tot het te fris werd en een van ons zei dat we thuis verder zouden praten. We stonden tegelijk op en er volgde een vluchtige kus, onze koude neuzen raakten elkaar. Zonder de ander aan te kijken en zonder iets te zeggen liepen we terug de warmte in, waar zij lachend mensen tegemoet liep en ik aan de bar ging zitten, naast een man die voor zich uitstaarde zoals ik dat even daarvoor op het plein had gedaan. Thuis zeiden we geen woord, alleen welterusten.

Ik maak mijn gordel los en trek de sleutel uit het contact. Tien meter verderop staat een pisbak waar je vanaf vier kanten in kan zeiken. Ik kies voor de kant waarvandaan ik de straat in kan kijken en mijn oog valt op een auto die netjes op een parkeerplaats staat, om de hoek van een restaurant en naast een vuilcontainer, uit het zicht van mensen op het terras. De witte kentekenplaat aan de achterkant van de donkere auto steekt door een grote lamp erboven fel af tegen alles eromheen. Ik laat de eerste twee letters op mij inwerken en twijfel of ze Hamburg of Hannover aanduiden.

Mijn vingers tintelen als ik de zijkanten van de kentekenplaat grijp. Wat een goede research voor mijn scenario. Ik zit op mijn hurken en wankel, mijn knokkels zijn wit. Als een voorbijschietende auto de ruimte om mij heen verlicht, schrik ik op. In de stilte en duisternis die terugkomt, draai en trek ik weer zachtjes aan de koude plaat. Ineens herinner ik me de truc en geef een harde tik aan de onderkant van het nummerbord. Vlak voor het op de grond valt, vang ik het op. Ik loop naar de voorkant van de auto, doe daar precies hetzelfde en met de twee exemplaren been ik naar mijn auto waar ik ze op de achterbank leg. Snel start ik de motor en rijd door naar een hotel even verderop, waar alleen maar auto's van Duitsers staan. Ik overweeg een vriend van vroeger te bellen, maar doe het niet.

6

'Hoe vlot de studie?' vroeg Huig, een paar maanden voor mijn afstuderen.

We zaten naast elkaar op het terras van het tennis-park, dronken van ons bier dat glinsterde in de voor-jaarszon en keken hoe Merel tijdens de eerste competi-tiewedstrijd van het seizoen haar tegenstandster van de baan veegde. Haar moeder, Vivian, stond een paar ta-feltjes verder met bekenden te praten.

'Prima,' zei ik. 'Scriptie gaat prima.'

Zijn vraag verbaasde me, tijdens een partij van zijn dochter sprak hij alleen over haar spel, of over tennis in het algemeen. Bovendien wist hij precies hoe mijn studie vorderde. Hij informeerde er wekelijks naar, schepte er bij zijn vrienden over op waar ik bijstond. Met zijn arm om me heen, vertelde hij ze de laatste tijd zelfs van alles over mijn afstudeeronderzoek, voor een stichting die het entrepreneurschap stimuleerde onder 55-plussers met een uitkering. Dat was al niet erg inte-ressant om over te vertellen, maar als hij was uitgespro-ken en mij eenmaal aan het woord liet, was er helemaal niets meer aan toe te voegen.

We klapten voor een verschroeiende backhand langs de lijn, waarmee Merel de eerste set won. Ze balde haar vuist. Ook deze tegenstandster had weliswaar snel door dat Merels dubbelhandige backhand veel gevaarlijker was dan haar forehand, maar door snel voetenwerk wist Merel vaak om haar forehand heen te lopen en alsnog vernietigend uit te halen, of te verrassen met een gecamoufleerd dropshot.

Als Merel niet zo afhankelijk was van haar backhand zou ze bij de top van Nederland horen, daar was Huig van overtuigd. Als Vivian zo'n opmerking opving, zei ze: 'Ze heeft er nu tenminste veel plezier in.' Zij wist met hoeveel tegenzin Merel als kind ging trainen, maar slaagde er toen niet in om het fanatisme van haar man te temperen. Merel beleefde eigenlijk pas plezier aan het spel toen rond haar dertiende duidelijk werd dat ze tekort kwam voor de top, en haar vader dat ook inzag. Sindsdien was Huig milder geworden, alleen vlak na een wedstrijd kon hij het niet laten om over punten te beginnen die ze anders had moeten spelen, maar daar trok Merel zich niets meer van aan.

Huig schoof zijn stoel tegen de mijne aan. Onze armen raakten elkaar, het koude klokje van zijn horloge bezorgde me kippenvel. 'Mag ik je iets vragen?'

Op de achtergrond klonken harde klappen, ingehouden kreunen. Een bal in het net. Applaus, aanmoedigingen.

'Wat zou je ervan zeggen als je voor mij komt werken?' Zijn ogen lichtten op en lieten me niet meer los. 'Lijkt je dat wat?'

Ik deed mijn best om ook te glimlachen en dacht aan dat traditionele scheepsbouwbedrijf van hem, aan de mentaliteit van 'mouwen opstropen en gaan'. Pure focus op de handel, op de bouw van schepen. Niet lullen, maar poetsen. 'Maar jullie hebben geen marketingafdeling.'

'Mooie bal, Merel!' riep hij na een prachtige lob van zijn dochter, die net voor de baseline stuiterde en waar zoveel topspin in zat dat de bal bijna over het hek verdween. Hij richtte zich weer tot mij. Zijn wijsvinger priemend op mijn borst. 'Die mag jíj gaan opzetten. Wat is een bedrijf zonder marketingafdeling tegenwoordig?'

'Een bedrijf dat betere dingen te doen heeft,' zei ik. 'Maar ik zal erover nadenken.'

'Kan ik inkomen,' zei hij en hij lachte. Hij hief zijn glas. 'Laten we daarop proosten.'

Omdat ik altijd twee keer opschepte en nu niet, dacht haar moeder dat ik het eten niet lekker vond. Zat er te veel sambal in? Was het te plakkerig? Ik legde vork en mes naast elkaar op mijn lege bord en zei dat er niets mis was met het eten, dat het heerlijk was. Merel loog dat we laat hadden geluncht en aaide onder tafel over mijn been. Haar vader at onverstoorbaar door en spiekte in de financiële bijlage van de krant die opengeslagen rechts van hem op tafel lag. Hij tikte met de achterkant van zijn mes op een kopregel en begon over een fusie tussen twee bedrijven. Een van de namen kwam me vaag bekend voor, de andere totaal niet. Hij noemde de fusie een opvallende ontwikkeling in de branche en vroeg wat ik ervan vond.

'Ik weet niets van schepen,' zei ik en het viel stil aan tafel. Vanuit de woonkamer zong Leonard Cohen dat hij een masker zou willen dragen om haar man te zijn. Ik luisterde ernaar, maar ik kon me niet op de tekst concentreren. Huig wees naar me met zijn vork, hij gaf Vivian een elleboogje. 'Aan hem gaan we nog een hoop lol beleven op kantoor.' Hij grinnikte en herhaalde: '"Ik weet niets van schepen."'

Ik had hier geen twee weken mee moeten wachten.

Merel keek me met een bedrukt gezicht aan en kneep nu in mijn been. Ik hoefde helemaal niet, maar direct na het eten excuseerde ik me en ging naar het toilet. Daar hoopte ik dat Merel zich niet kon inhouden en hem mijn keuze, onze keuze, zou meedelen. Het was ook onze keuze, ze stond achter me, ze vond dat ik mijn hart moest volgen.

Op de plee staarde ik tussen mijn benen en vervloekte mijn lafheid. Vanuit de eetkamer hoorde ik het gekletter van borden en schalen, rinkelende glazen. Merel die iets tegen haar moeder zei. Ik herkende het geluid van de hondenriem tegen de verwarming.

Ik kwam het toilet uit. 'Wij gaan even Saartje uitlaten,' zei Merel, die de hond aanlijnde. Vivian probeerde buiten een sigaret aan te steken. Merel gaf me een kus en wenste me sterkte. Ze blies er nog een handkusje achteraan voordat ik de woonkamer in liep.

Huig lag languit op de bank, een kussen tussen zijn hoofd en de armsteun, handen op zijn buik. Hij ademde zwaar en de afstandsbediening wiebelde op zijn borst. Hij wees naar de andere bank alsof ik er uit mezelf niet zou gaan zitten en legde zijn vinger op zijn getuite lippen. 'Het nieuws.'

Tijdens de reclame kwam hij kreunend overeind. Hij stond op, kraakte zijn rug en vroeg of ik koffie wilde. Merel en haar moeder waren alweer tien minuten weg.

'Wacht even,' zei ik. 'Ga even zitten... Huig.'

Huig zette de tv uit en nam weer plaats. Hij wreef glimlachend in zijn handen. 'Vertel, jongen.'

Met mijn tong speelde ik met een velletje dat los zat aan mijn verhemelte. 'Huig, ik zal meteen met de deur in huis vallen: ik heb besloten niet op je voorstel in te gaan.'

De eerste seconden vertrok hij geen spier, de glimlach hield aan. Hij beet op de nagel van een duim. Met zijn ogen op de mijne gericht, zei hij kalm: 'Die had ik niet zien aankomen.' Hij keek even langs me heen, zocht naar de juiste woorden. 'Maar ik respecteer je keuze. Mag ik alleen weten waarom?'

Ik wilde voorlopig taxi blijven rijden om na te denken over mijn toekomst, over een toekomst als schrijver van mooie series en films. Na mijn scriptie wilde ik weer ruimte in mijn hoofd vrijmaken voor de vloedgolf aan ideeën, aan personages die boven kwamen drijven, conflicten die aan de horizon gloorden. En, Huig, ik denk niet dat ik aan jouw verwachtingen kan voldoen, wat die ook zijn. Ik ben niet opgewassen tegen de druk die jij mensen kan opleggen. En schepen, man, die interesseren me echt geen fuck, en de markt al helemaal niet!

Dat vertelde ik allemaal niet.

'Werk en privé wil ik gescheiden houden,' zei ik. 'Mijn goede band met u wil ik niet op het spel zetten. Niet dat ik denk dat daar sprake van zal zijn, maar...'

'Je weet maar nooit.' Hij gleed terug in de houding zoals ik hem net had aantroffen en zette de tv weer aan.

De volgende ochtend gingen Merel en ik tennissen. Omdat ik de afgelopen jaren behalve Merels toeschouwer ook haar leerling was, kon ik een aardige bal terugslaan. Helemaal onervaren met racket en bal was ik ook niet, als jonge tiener had ik maandenlang bijna dagelijks tegen een muurtje geoefend. Met een houten racket van zolder en tennisballen die ik in de bosjes rondom de tennisclub vond.

De banen om ons heen waren verlaten. Het vochtige gravel schitterde in het licht van de opkomende zon, de ballen werden snel nat en zwaar. Als ik in het net sloeg, spatten er druppels van de netband. Oranje korrels kleefden aan mijn opgooihand, die ik schoonveegde aan mijn korte broek.

Ik serveerde en sprintte naar het net. Zoals ik na elke service en na elke return naar het net sprintte. Merel pareerde de meeste aanvallen, maar ik kon niet anders, vanuit het achterveld was ik per definitie kansloos.

Ik dook naar de bal bij weer een passeerslag en raakte 'm zowaar, de bal viel via de netband op haar helft. Ik lag op mijn rug, benen en armen gespreid. Ik juichte en dacht aan hoe ik die ochtend wakker was geworden: met een racket op mijn buik, omdat Merel vond dat ik de spanning van de avond ervoor uit mijn lijf moest slaan.

Ze hielp me overeind en bij het bankje langs de baan klopte zij gravel van mijn rug. Ik maakte mijn handen schoon met water uit een flesje.

'Boris Becker had het je niet nagedaan.' Huig lachte ons toe, leunend op de omheining. Hij kwam wel vaker langs als hij wist dat wij aan het spelen waren en dan gaf hij altijd wat praktische tips aan me, zonder opdringerig te zijn. Zelf tenniste hij al meer dan veertig jaar en hij was meervoudig clubkampioen enkel- en dubbelspel. 'Misschien wordt het eens tijd om tegen elkaar te spelen, Eddie,' ging hij verder en hij complimenteerde mij én Merel met mijn ontwikkeling. Vooral mijn top-spinbackhand vond hij er technisch goed uitzien.

Later die week, toen we tegenover elkaar op de baan stonden, kreeg ik weinig kans om die geprezen slag te laten zien. Zeker bij zijn eerste service kon ik de bal alleen maar blokken en hopen dat-ie binnen de lijnen zou vallen. Bij de warming-up had ik nog de hoop gekoesterd enige kans te maken, want zijn ballen stuiterden zonder uitzondering met lichte spin rond de servicelijn, zodat ik ze makkelijk kon terugslaan. Maar zo rustig als hij de ballen raakte bij het inslaan, zo onhoudbaar waren ze tijdens de partij. Merel had haar dubbelhandige backhand langs de lijn niet van een vreemde.

We speelden in het oranje licht van een zomerse vrijdagavond op baan 1. Elk tafeltje op het terras voor de kantine was bezet. Huig speelde alsof het de finale van het clubkampioenschap was. Stoïcijns liet hij me alle hoeken van de baan zien, en elk punt liet hij zo lang mogelijk duren. Hij wist de ballen zo te raken dat ik ze net kon halen, zonder dat de kans bestond dat ik het initiatief kon overnemen. Zo liet hij me lijden en de mensen op het terras kregen er geen genoeg van.

De eerste set verloor ik met 6-0. Uitgeput sleepte ik mezelf naar het bankje, ik zoog een deuk in de waterfles. Mijn ogen prikten van het zweet dat maar bleef stromen. Elders op het tennispark speelde Merel met een teamgenoot, zonder twijfel losjes haar backhands vurend vanachter de baseline, de door de achterkant van een pet getrokken paardenstaart opverend. Ik zag het shirtje dat ze na een punt omlaag trekt, haar gebalde vuist na een mooie bal, ik hoorde haar gekreun tijdens een intensieve rally.

78

'Kom, gaan we weer,' zei Huig na nog geen minuut. Het waren zijn eerste woorden na 'prettige wedstrijd'. De man zag eruit alsof hij geen game had gespeeld, hij veerde op en neer en sloeg met de muis van zijn hand tegen de bespanning van zijn racket. 'Straks worden we koud.' Dat waren zijn laatste woorden tot hij me de volgende set met 6-1 van de baan sloeg. Die ene game won ik door enkele wanhoopsslagen uit de krochten van mijn lijf te persen, waarop de ballen tot mijn verbazing in de uiterste hoeken van zijn helft belandden.

Uithijgend op het terras hoorde ik een vriend van Huig zeggen dat hij mij na die game nog drie punten had zien maken. Tenminste, het waren drie fouten van Huig geweest. Terwijl ik overal op mijn armen en gezicht sporen van gravel ontdekte en het zelfs uit mijn oren peuterde, lachten Huig en zijn vrienden om de veegpartij van zojuist. Hij had zelfs een bal door zijn benen langs me heen geslagen. Ik was kapot en in mum van tijd had ik behalve een colafles water vier bier achterovergegooid. Ik overwoog tussendoor een rondje te halen, maar bleef zitten omdat Huig me ooit op het hart had gedrukt dat ik in zijn bijzijn nergens voor hoefde te betalen.

Een van zijn vrienden vroeg me wanneer ik in de zaak zou gaan beginnen. Huig was me voor. 'Hij begint liever onder aan de ladder.'

'Als hij zo werkt als hij tennist, mag je daar blij mee zijn, Huig,' zei een ander. De buiken van zijn vrienden gingen op en neer van het lachen. Hun onderkinnen deden vrolijk mee en ik vroeg me af of ik ooit zo met vrienden zou zitten.

Op de plee besloot ik bij Merel te gaan kijken. Terug naar die tafel wilde ik niet meer. Het is dat ik besefte waarom Huig mij zo graag zijn bedrijf in wilde lood-sen, dat hij in mij zijn verloren zoon zag, anders was ik hem vast al te lijf gegaan. Met die kutschepen van hem.

Tot drie keer toe trok iemand aan de klink van de wc-deur, alsof die niet op slot was, maar klem zat. In ge-dachten liep ik over het pad langs de banen, herkende ik haar zuivere klappen en zachte gekreun.

Na een minuut of vijf verliet ik de wc.

Huig en zijn vrienden zaten er niet meer. Ook hun tennistassen waren weg. Op het tafeltje stonden lege bierglazen, onder één daarvan wapperde het bonnetje.

7

Het is zondagochtend en onder de douche probeer ik het afdelingsetentje van gisteravond voor de geest te halen, maar er is nauwelijks chronologie of volledigheid in de beelden vanaf het moment dat we aan tafel waren gegaan. Ik had eerst wat gedronken met oud-studiegenoten en racete daarna rechtstreeks naar het restaurant, waar ik verderging met drinken en luisterde naar het geratel van de chef, Pronk, die ons vanaf een wankele kruk aan de bar toesprak voordat we aan tafel gingen.

Ik draai aan de douchekop zodat de straal smaller en harder is, en leun met mijn bonkende kop tegen de muur. Morgen weer de maandelijkse afspraak met Charlotte, eindelijk, twee weken na mijn verjaardag.

Het water spuit tegen mijn rug en ik reconstrueer het etentje dat ik had willen ontlopen, maar onze officemanager Carina had me vrijdag nog opgebeld om me er voor de zekerheid aan te herinneren en ik was niet ad rem genoeg geweest om een excuus te verzinnen.

Na de toespraak ging ik met een glas champagne en een glas bier aan de tafel zitten waar ik was ingedeeld. Ik zette de glazen te hard neer en morste op het tafelkleed. Mijn tafelgenoten keken me meewarig aan.

Pronk en zijn vrouw zaten schuin tegenover me, een paar plaatsen verderop.

Het enige wat ik me vanaf dat moment herinner, vaag, is dat ik op de een of andere manier de hand had weten te leggen op een enorme winterpeen en daarmee langs de tafels liep. Binnen enkele seconden stak het ding uit mijn gulp en porde ik ermee in het oor van een meisje dat sinds kort bij ons werkte en van wie ik de naam niet meer weet. Iedereen schoot in de lach toen zij opzij keek en het stompe uiteinde van de peen tussen haar lippen verdween. Ik legde mijn hand op haar kruin, perste mijn lippen op elkaar, sloot mijn ogen en kreunde hard. 'Zo ja, bij het randje.'

Zij speelde haar rol met verve. Haar tong vlinderde langs de ruwe, harige peen en met een hand streelde en kneedde ze hem, de andere rustte op mijn heup. Zonder onderbreking en in een vloeiende beweging gleed ze van haar stoel, zakte op haar knieën en wortelpijpte gepassioneerd verder. Toen zij haar kiezen in de wortel zette, schreeuwde ik het uit. Ze knaagde erop, gromde als een valse hond.

Van de rest van de avond zie ik flarden, zoals het gezicht en het decolleté van de vriendin van een collega met wie ik een tijd had zitten praten, waarover weet ik niet meer.

Toen ik weg wilde, kon ik mijn jas niet vinden.

Beneden aan de bar wachtte ik op een taxi.

Ik dronk water.

Bij het afdrogen en aankleden bonst mijn hoofd en wordt het koud rondom mijn ogen. Na twee paracetamol voel ik me iets beter, maar schrijven aan *De klep-*

tomaan die niet stelen kon gaat niet lukken. Zeker zolang ik de slotscène nog niet voor ogen heb. Een boek lezen wordt ook niets. Ik word al misselijk bij het lezen van de berichten die ik blijkbaar vannacht naar Merel en Charlotte heb gestuurd. Alleen van Merel heb ik een bericht teruggekregen. *Volgens mij is het voor jou tijd om naar bed te gaan xxx.*

Ik zet *The Sopranos* op, hang uren op de bank. Om zeven uur kijk ik voetbal en daarna zap ik nog wat in het rond.

Teletekst toont me welke dag het precies is. Fuck! Ik schiet overeind, graai wat vellen uit de printer en schrijf een kort gedicht. Na drie proppen staat het goed op papier.

Na de begraafplaats rijd ik door naar Charlotte. Haar blauwe Mini met witte strepen staat recht voor haar huis. Het is bijna tien uur, ik sta weer geparkeerd onder de lantaarnpaal op de hoek van haar straat en luister naar mijn eigen ademhaling, kijk naar de wolkjes uit mijn mond. Om de zoveel minuten veeg ik condens weg aan de binnenkant van de voorruit. Met dezelfde frequentie waarmee ik condens wegveeg, pak ik de telefoon op die naast me op de bijrijderstoel ligt.

De kapotte lantaarnpaal springt aan en uit, aan en uit, aan en uit.

Charlotte steekt haar hoofd even tussen de gordijnen van haar slaapkamerraam door.

Mijn telefoon gaat, haar naam knippert in het display. Ik laat de telefoon overgaan, leg mijn muts erop en zak langzaam onderuit. Met ingehouden adem kijk ik omhoog.

Onbeweeglijk staat zij daar en zit ik hier.

Ik draai de autosleutel een kwart slag zodat ik meteen kan wegrijden als iets erop wijst dat ze naar beneden komt. Ik stel me voor hoe ze, gewikkeld in een zijden badjas, naar buiten loopt om te vragen wat ik hier kom doen. Op pantoffels, met ferme passen, om met een strak gezicht op mijn auto af te komen, op het raampje te tikken en me uit te horen. En hoe ze daarna rustig wegloopt, alsof ze net iemand de weg heeft uitgelegd.

Maandag. Officemanager Carina belt me als ik net vijf minuten in de auto zit.

Of ik me nog iets kan herinneren van eergisteravond.

De vraag op zich verontrust me, ik vraag of het meevalt.

Ze begrijpt dat ik graag wil horen dat het meevalt en dat niemand het er op kantoor over heeft. Over de kapstok vol met jassen die ik twee keer omver heb getrokken en die ik – zonder jassen – als een halter boven mijn hoofd schijn te hebben gehouden. Als zij me niet had tegengehouden, zou ik de kapstok van het entresol naar beneden hebben gegooid. 'Je was niet agressief,' zei ze, 'gewoon baldadig. Beneden aan de bar gooide je het glas water dat ik voor je had laten neerzetten, in het gezicht van de barman. "Bier," schreeuwde je. "Sinterklaas wil bier!"'

Het zweet staat in mijn handen.

Carina lacht. 'Je bent niet de enige die zich moet schamen. Gabi heeft zich zelfs ziek gemeld.'

'Wie?'

'Gabi. Het meisje dat... dat jouw wortel in haar mond nam.'

84

Het gesprek met de eerste klant van vandaag duurt veel langer dan normaal. Ik kan me hooguit een kwartier vertraging veroorloven. Versuft loop ik het pand uit en als ik in mijn auto stap, belt Pronk dat ik langs moet komen. Hij hangt op voor ik kan vragen waar het over gaat en ik gooi de telefoon op de stoel naast me.

Iemand toetert, het licht staat op groen en springt op oranje als ik eronderdoor rijd. Eén keer heb ik me misdragen, één keer, en ik moet godverdomme meteen op het matje komen. Ik zal wel een reprimande krijgen. Goed, dan trek ik het boetekleed aan, verklaar ik dat ik niet lekker in mijn vel zit, me voortaan zal gedragen. Na vijf minuten zal hij me een klap op mijn schouder geven, lachen we om een flauwe grap en sta ik weer buiten. En dan zit ik een paar uur later eindelijk met Charlotte om de tafel. Op een wandeling hoef ik alleen niet te rekenen; de lente lijkt nog ver weg en de lunchpauze is allang voorbij als ik bij haar ben.

Tot ik in de kamer van mijn baas sta, troost ik me met de gedachte dat ik er later wel om zal kunnen lachen.

Pronk kijkt me aan alsof ik met zijn vrouw naar bed ben geweest. Maar ik heb zijn vrouw vaak genoeg gezien bij etentjes van de zaak en ik kan me niet voorstellen dat hij het erg vindt als iemand anders het vuile werk voor hem opknapt. Bij het etentje zat ze bij mij aan tafel. Ik had toch niet...?

Hij zakt onderuit en vlecht zijn dikke vingers in elkaar. Zijn nek verdwijnt voor een deel onder de kraag van zijn overhemd, kwabben komen samen onder zijn kin. Zo heeft hij iets weg van Tony Soprano, maar Tony had me allang over het bureau getrokken en tegen de muur aangesmeten als hij ook maar een piepklein vermoeden zou hebben dat ik iets met zijn vrouw had uitgespookt. Pronk gaat rechtop zitten, zijn stoel piept. Hij kijkt me indringend aan.

'Je afspraak met Charlotte de Vreugd gaat niet door.'

Ik laat zijn woorden op me inwerken. 'Is ze ziek? Is de afspraak verplaatst?'

Ze is niet ziek en de afspraak blijft staan, alleen ga ik er niet naartoe. Er zijn klachten. 'En die liegen er niet om,' zegt hij. Zijn telefoon rinkelt. Hij neemt op en ijsbeert wat door de kamer terwijl hij afwisselend ja en nee mompelt.

Ik krijg het warm. Als hij met zijn rug naar me toe staat, knoop ik mijn das los, maar eigenlijk wil ik 'm strakker trekken. Tot ik niet meer kan ademen. Ik sta op en loop naar de deur.

Pronk roept me terug, mompelt in de telefoon dat-ie later terugbelt en hangt op.

'Kan ik gaan? Ik heb nog andere dingen te doen.'

Hij wijst met een strenge blik naar mijn stoel en als we weer tegenover elkaar zitten, moet ik van hem uitleggen waarom ik zo laat in de avond bij Charlotte op de hoek van de straat stond.

Ik zeg dat ik niet weet waar hij het over heeft.

Hij zucht en steunt. 'Je valt haar lastig. Ook met bellen en zo.'

'Onzin.'

'Ik ga hier geen welles-nietesspelletje met je spelen, Eddie. Zij víndt dat je haar lastigvalt en als zij dat vindt, dan is het zo.'

'Ze is gek.'

'Misschien. Maar zij hoort wel bij een groot account. Als zij iemand anders wil, dan krijgt zij iemand anders.'

'En ik dan?'

'Andere klant. Nieuwe kansen.'

'Als ik een klant kwijtraak, moet je me daar een goede reden voor geven.'

'Die heb je net gekregen.'

'En als ik het daar nou niet mee eens ben?'

'Verdomme, man. Wat maak je je druk? Ik ga er bijna wat van denken. Moet ik dat? Moet ik er wat van denken?'

'Natuurlijk niet. Het is een leuke meid, maar het is gelul dat...'

'Ed!' Hij gebaart me mijn mond te houden en loopt om zijn bureau heen. Hij slaat op mijn schouder. 'Leer mij die vrouwen kennen. Ze geven het ene na het andere signaal af en dan willen ze ineens niets van je weten.'

'Maar zo zit het niet.'

Hij loopt weer terug en ploft in zijn stoel. 'Het doet er niet toe. Ze wil gewoon niet meer dat je langskomt. Punt uit.'

'Laat me nog één keer...'

'Ophouden nu!' Hij loopt rood aan. 'Je mag verdomme blij zijn dat ik je er niet uit flikker! Begrijp je dat wel?'

'Doe dat dan,' mompel ik, maar hij hoort het niet, of doet alsof.

'Het is nog een wonder dat we haar niet kwijt zijn. En dat ze de politie niet heeft gebeld.'

'Had je me er dan wel uitgetrapt?'

Don't push you' luck my friend, zou Tony Soprano zeggen, met zijn handen om mijn nek. Of, lachend tegen anderen die erbij zouden zitten: *Ya hea' this kid? Trying to break my balls!*

Pronk zegt: 'Niet te bijdehand worden.'

Hij buigt over de tafel heen, grijpt me stevig bij mijn schouders en kijkt me recht in de ogen. 'Jij gaat nu naar huis. Ik regel wel wat voor de rest van je afspraken. Kijk een film, spring op de fiets, drink een biertje. *Clear your head.*'

Ik knik, sta op en draai me om.

'Ed!' roept hij voordat ik de deur uitga. 'Nog even over zaterdagavond. Pas voortaan een beetje op jezelf. En bedank Carina dat ze je voor erger heeft behoed.' Hij geeft een vieze knipoog. 'Tot morgen.'

In de auto smijt ik mijn jas en colbert op de achterbank, ik ruk mijn das af. Dat kutwijf! Mijn baas bellen, hoe durft ze? Ik start de auto, zet de radio krankzinnig hard aan. *God is a DJ*. Het volume tot de pijngrens, raam open, kijkende mensen. Mijn handen knellen om het stuur, mijn linkerbeen hangt boven de koppeling en tintelt.

Binnen een kwartier sta ik op de parkeerplaats van het taxi- en touringcarbedrijf van Charlotte. Ik wist niet dat je er zo snel over kon doen.

Op de trap laat iemand een map met papieren vallen, in de gang krijgt een ander koffie over zich heen, weer een ander springt opzij. Een vrouw roept dat ik een idioot ben. Ik sla een paar keer links af en een keer rechts.

Zonder te kloppen sta ik in haar kamer, maar ze is er niet. Op haar bureau staat een schaalmodel van een taxi, niet groter dan mijn hand, met in de opengeklapte achterbak haar visitekaartjes. Ik stop de taxi in mijn broekzak en ren naar de koffieruimte, daar is ze ook niet. Dan komt er een man met een grote koffievlek op zijn overhemd de koffieruimte binnen. 'Jíj! Wacht eens, jij bent toch...'

Ik spurt naar buiten en spring in mijn auto.

In mijn achteruitkijkspiegel staat de man met de koffievlek druk met zijn armen te zwaaien. Er staan een paar van die uit de kluiten gewassen chauffeurs en onderhoudsmensen buiten een bakkie te drinken. Die achterlijke dikke broer van haar staat er gelukkig niet tussen, dat is zo'n type die achter de auto aan blijft rennen en als je denkt hem te hebben afgeschud, springt-ie vanuit het niets op je motorkap.

Bijna van het wagenpark af, voorbij de laatste geparkeerde bus, laat ik mijn raam zakken. Arm eruit, middelvinger in de lucht, toeteren. Ze schreeuwen, ze vloeken, een stem slaat over. Ze tonen middelvingers, wegwerpgebaren, vuisten stompen in handen.

In de binnenspiegel zie ik ze mijn kant oprennen en ik zwaai met mijn opgestoken middelvinger. Dan klinkt er een zware toeter. Grote lampen verblinden me en ik trap vol op de rem. De gordel snijdt in mijn nek, de motor slaat af.

Tussen de geopende hekken staat een bus, en die blokkeert de doorgang. De deur van de bus gaat open en daar heb je die idioot van een broer. De lichten blijven aan.

Snel doe ik de auto op slot en het raam dicht. Met mijn andere hand start ik de motor en probeer 'm in zijn achteruit te zetten. Daar zijn drie koortsachtige pogingen voor nodig. Eenmaal zover laat ik de koppeling veel te snel opkomen en slaat de motor weer af. Mijn spiegels laten zien dat het geen zin meer heeft om de auto te starten, inmiddels staat er een taxi dwars achter mij geparkeerd.

Een schop tegen het portier. Nog één, en aan de andere kant van de auto, waar de broer van Charlotte zijn signatuur achterlaat.

'Uitstappen!'

Ik vouw mijn armen over elkaar en kijk in de koplampen van de bus – een spookrijder in de file. Ze schoppen tegen de auto en dreigen ruiten in te slaan. Even, heel even, heb ik met ze te doen, het schoppen tegen mijn auto kan ze nooit zoveel voldoening geven als wanneer ze hun woede op mij botvieren. Ik houd mijn armen over elkaar en kijk opzij. Tijd voor een minzame glimlach, met een kort knikje erbij.

Merel zou me vragen of ik wel goed bij mijn hoofd ben, of ik dan helemaal niets heb geleerd.

Naast me klinkt een harde tik. Weg minzame glimlach. Verbrijzeld glas valt op de stoel naast me en eromheen. Daar is die dikke kop van haar broer. 'Eruit jij.'

Ze staan in een halve cirkel om me heen. Ik durf ze niet aan te kijken en richt me op de ruimte tussen de hoofden, dwing mezelf rechtop te blijven staan. Geen onzin uitkramen, niet smeken. Haar broer buigt zich naar me toe, zijn lippen trekken naar binnen, de aderen in zijn nek en op zijn slapen zwellen op. Zijn neus rimpelt door zijn samentrekkende ogen.

Ik spuug hem in zijn gezicht. Wat op mijn lippen blijft kleven, zuig ik weer op. Ik heb hem precies tussen de wenkbrauwen geraakt.

Hij knijpt zijn ogen dicht. Vlak boven zijn neus splitst de klodder zich, in gele tranen die traag naar beneden rollen en aan zijn wimpers blijven hangen. Zijn grote kop hangt nog steeds onbewogen voor me, hij snuift. Eerst alleen door zijn neus, nu door zijn mond.

Hij veegt met beide handen over zijn gezicht, daarna hangen zijn armen langs zijn lijf, ik zie alleen de nagels van zijn duimen.

Ze drukken me hard tegen de auto aan.

Ik doe mijn ogen dicht, smeek ze me te laten gaan. Langzaam zak ik en mijn hoofd raakt het koude glas van het autoraampje, dan schamp ik de hendel van het portier. Ze proberen me omhoog te tillen, maar ik stort liever ter aarde.

De minitaxi rolt uit mijn broekzak en valt op z'n kant, de kaartjes waaien in het rond. Haar broer raapt er een op.

De schop tegen mijn reet, een wreeftrap, doet minder zeer dan de punter tussen mijn schouderbladen. Die voel ik in mijn hele romp. De tranen springen in mijn ogen van de volgende trap, in mijn zij. De pijn trekt vanuit mijn heup door mijn hele lichaam. Mijn knieën trek ik zo dicht naar me toe dat het pijn doet aan de spieren in mijn billen en onderrug.

Door een waas zie ik een volgende voet recht voor mijn gezicht naar achter zwaaien.

'Laat hem maar,' zegt een man op dwingende toon. 'Moet je dat nou zien liggen.'

Ze lachen. Ik lig erbij als iemand die bij een ongeluk uit de auto is geslingerd. De grond is hard en koud. Ik ril. Mijn hart klopt in mijn kop, pompt bloed op top- snelheid door mijn hele lichaam.

De hiel tegen mijn schouder dwingt me om te draaien en bij het openen van mijn ogen zie ik de vadsige kop van Charlottes broer. Uit zijn mond schiet een dikke fluim. Tussen mijn ogen, in mijn mond, op mijn wan- gen, een resultaat van een minuut speeksel opwekken en bewaren. Het is warm en slijmerig, zout. Het maakt me misselijk en duizelig. Ik draai mijn hoofd weg en kokhals.

Dezelfde man als daarnet zegt: 'Nu is het genoeg,' en ze lopen weg, noemen me een klootzak, een loser, een droplul.

Ze zijn vergeten de kleine taxi op te rapen.

De pijn resoneert nog door mijn hele lijf als ik langs het huis van Charlotte rijd. Haar blauwe Mini met witte strepen staat er niet.

Bij de autowasstraat trek ik resten glas uit het rubber van het raam en zuig het glas van de grond en de bijrijderstoel. Met twee vuilniszakken plak ik het gat dicht. Tijdens het rijden is het net of er een vogel tussen het plastic gevangenzit.

Thuis sta ik een halfuur onder de douche en daarna kijk ik de ene na de andere aflevering van *The Sopranos*.

In de loop van de avond sta ik weer bij Charlotte in de straat. Dit keer niet onder de lantaarnpaal. Ik parkeer recht voor haar huis. Er brandt licht in de woonkamer, alle gordijnen zijn gesloten, de tv staat aan. Pas op het tuinpad zie ik door een kier dat ze op de bank ligt. Binnen een paar seconden nadat ik heb aangebeld, rukt ze de gordijnen open. Ze slaat een hand voor haar mond en trekt de gordijnen weer dicht.

Even later zwiept haar slaapkamerraam open en steekt ze haar hoofd naar buiten. Haar haren wapperen alle kanten op. 'Wat moet je hier? Jezus!'

'Zeg maar Ed,' roep ik.

Charlotte laat haar telefoon zien en dreigt met het

bellen van de politie. Of ik ga nu meteen weg, ik kan kiezen.

'Doe niet zo hysterisch,' zeg ik.

Charlotte zegt dat er hier maar één hysterisch is. 'Ben jij niet goed bij je hoofd of zo? Donder op, man!'

'Ik niet goed bij mijn hoofd? Wie belt er nou mijn baas op om te zeggen dat ik haar lastigval?'

Ze zegt dat mijn aanwezigheid hier haar bevestigt dat ze geen betere keuze had kunnen maken. 'Dat je me bestookt met telefoontjes en berichtjes is al *fucking scary*. Maar je stond ook nog bij me in de straat. Ik zag die witte Polo van je.'

'Er rijden wel meer witte Polo's rond.'

'Gelul. Je dook zelfs weg toen ik je belde. Lafaard.'

'Ik dacht dat we elkaar mochten.'

'Mochten ja, mochten. Je zegt het goed.'

'Komt het door mijn verjaardag?' Ik fake een lach. 'Luister, dat was niet...'

'Ik wil het allemaal niet horen! Ik walg van je. Ik wil niets van je weten. En morgen bel ik je baas nóg een keer!'

'Je doet maar!' roep ik.

'Jij spoort niet! Rot op!'

Bij de huizen links en rechts zwaaien deuren open. Een of ander wijf vraagt aan Charlotte of ze de politie moet bellen. Een forse kerel loopt met grote passen zijn tuin uit en schreeuwt naar me dat ik er verstandig aan doe weg te gaan.

Ik race over de snelweg alsof ik word achtervolgd. De radio op een volume dat me afsluit van de geluiden van buiten en van de motor. Alleen het plastic in het raam komt erbovenuit. Mijn heup en schouder doen zeer van vanmiddag.

Ik negeer de afslag die naar mijn huis leidt. Een paar honderd meter verderop staat een lifter en ik denk: waarom niet. Ooit pikten Merel en ik een lifter op, omdat zij nieuwsgierig was naar wat zo iemand beweegt te liften. Dat het spannend was om te reizen en mensen te ontmoeten snapte ze wel, maar een groot deel van de tijd stond je toch gewoon moederziel alleen langs de snelweg, omgeven door uitlaatgassen, of niet? Haar nieuwsgierigheid werd niet bevredigd, de lifter sprak geen Nederlands en nauwelijks Engels.

Deze lifter is niet met voorbedachten rade gaan liften, vertelt hij. Hij heeft de bus gemist en moest een uur wachten op de volgende. Hij gooit een grote tas en een rugzak op de achterbank en we rijden naar een treinstation waar de bus staat die hem naar een of ander wintersportoord zal brengen.

Hij werpt een blik op de vuilniszak naast hem, maar vraagt niets, staart door de voorruit en neuriet mee met een liedje.

Af en toe glipt er een Engels woord uit zijn mond en ik vertel over die keer dat Merel en ik een lifter oppikten die geen Engels sprak, en daarna leg ik uit dat Merel mijn ex is, maar dat zij twee weken geleden weer in mijn leven is teruggekeerd. Dat ik haar tegenkwam in de videotheek met een kerel, een echte kerel, van wie ik me afvraag of haar vader hem ook een baan zou aanbieden. Misschien als lasser of monteur. Ik vertel hoe haar vaders houding ten opzichte van mij compleet was omgeslagen nadat ik zijn aanbod had geweigerd. 'Vanaf toen is eigenlijk alles fout gegaan.'

De lifter grinnikt als ik de vernedering op de tennisbaan beschrijf, maar zegt verder niets.

Ik vraag hem of hij vindt dat ik mezelf alsnog heb verloochend door me niet op het schrijverschap te storten, maar advertentieverkoper te worden.

Hij haalt zijn schouders op en draait de volumeknop van de radio iets naar rechts. 'Weet ik veel.'

Ik duw zijn hand van de knop weg en grijp zijn pols vast. 'Is dat alles? "Weet ik veel?" Ik stort verdomme mijn hart bij je uit!'

'Oké, man, rustig.' Hij rukt zijn hand los. 'Fuck.'

Even aarzel ik, maar dan begin ik over de vakantie die Merel en mij definitief uit elkaar had gedreven. Over de druk waaronder ik gebukt ging, over de stem van haar vader. Bij mijn beschrijving van de bewuste avond draai ik de volumeknop naar links. Voor het eerst vertel ik dit verhaal aan iemand, maar de woorden rollen uit mijn mond alsof ik het alfabet opzeg. Ik zweet overal, mijn mond wordt droog. Ik pulk aan de schilfertjes van mijn lippen, maar ik praat door, ik ontvouw de twijfels over mijn eigen rol, over die van haar vader.

Als ik uitgepraat ben, laat hij zijn achterhoofd een paar keer tegen de hoofdsteun vallen. 'Ik weet niet of ik dit moet geloven. Ik zou het zelf nooit zover laten komen. En dan nog de schuld aan haar vader geven ook.'

'Dat doe ik niet!'

'Dan niet. Wat jij wilt, man.'

De lifter zet de radio weer harder. Zijn hoofd beweegt mee op het ritme van de muziek.

'Weet je dat ik speciaal voor jou ben doorgereden?' schreeuw ik boven de radio uit. 'Speciaal voor jou. Ik moest er eigenlijk al af.'

Hij ontwijkt mijn blik.

Ik leg een hand op zijn schouder en grijns zo duister mogelijk. 'Jammer dat je niet zo meelevend bent.'

We naderen een afrit. Hij tikt tegen de vuilniszak. 'Laat mij er hier maar uit, ik red het wel verder. Hier gaat vast een bus.'

'Ik breng je gewoon waar je zijn moet. Niet zeiken.'

Het niet zeiken vat hij op als helemaal niet meer communiceren. Ik volg de twee rode lampjes voor me. De weg is geel en glanst.

Bij het treinstation springt hij uit de auto alsof die op ontploffen staat en vergeet bijna zijn tas. Er staat een hele groep mensen, in dikke jassen, met mutsen op. Sommigen met moonboots aan. Ze zien eruit alsof ze net zijn uitgestapt in het wintersportoord waar ze nog naartoe moeten.

Ik ga terug de snelweg op en leun tegen de deur, houd één hand aan het stuur. Aan de horizon hangen lichtjes op telkens dezelfde afstand. Mijn maag rommelt. Nog even en ik zal onder het wegrestaurant doorrijden, een brug over de snelweg, maar de Burger King ligt aan de overkant van de weg en ik heb geen zin om dat hele stuk te lopen. Aan deze kant zit een broodjeszaak, op een klein stukje lopen van de desolate en onverlichte parkeerplaats, waar ik mijn auto neerzet en erachter kom dat ik mijn portemonnee ben vergeten. Ik pak de muts die op de achterbank ligt.

Uit de broodjeszaak schijnt licht dat veel te fel is. De zaak zit half onder de grond en zelfs met je neus tegen het glas kun je de ruimte niet helemaal overzien. Een medewerker zit op de toonbank met zijn rug naar de ingang en kijkt tv. Pas als er een belletje rinkelt bij mijn binnenkomst glijdt hij tergend langzaam van de toonbank.

Mijn zicht is gehalveerd omdat ik mijn muts tot ver over mijn wenkbrauwen heb getrokken, maar ik laat het zo. Om me verstaanbaar te maken, duw ik de kraag van mijn jas iets omlaag.

Er kunnen geen verse broodjes meer worden gemaakt, hij gaat zo sluiten en heeft al bijna alles opgeruimd. Ik kan kiezen uit de broodjes die in grote hoeveelheden in de vitrine tussen ons zijn uitgestald.

'Die en die en die en die,' zeg ik. 'En die.'

Hij wurmt zijn handen in doorzichtige plastic handschoenen en bukt voorover om de broodjes te pakken die ik aanwijs.

'Weet je wat?' zeg ik. 'Doe maar vijf van alles. En een flesje Aquarius. Rood.'

Zijn handen blijven hangen boven de broodjes en hij kijkt op. 'Vijf van alles? Dus dertig broodjes? Zeker weten?'

'Hoezo? Zijn ze niet goed meer?'

Hij schudt zijn pokdalige kop. 'Ze zijn prima.'

'Mooi. Heb je een tas waar ik ze in kan doen?'

'Heb ik.' Hij glimlacht voorzichtig, pakt nog vier broodjes van ieder soort en stopt ze in een grote plastic tas die hij op de toonbank zet. Hij zucht en krabt op zijn achterhoofd, terwijl hij de bestelling intikt. 'Eén Aquarius rood plus vijf club sandwich plus vijf ciabatta mozzarella plus... Meneer!'

Met de tas onder mijn arm stuif ik de trap op en ren naar de auto, zo hard dat mijn slapen ervan kloppen. Met trillende hand steek ik de sleutel in het contact. De lichten laat ik uit tot ik de parkeerplaats heb verlaten.

Misschien kan ik dit incident wel gebruiken voor mijn scenario *De kleptomaan die niet stelen kon*. Maar eerst het einde, ik moet weten hoe het afloopt voor ik kan beginnen.

Met 120 rijd ik over de snelweg, op de rechterbaan. De vuilniszak rechts van me krijgt harde klappen en lijkt elk moment te scheuren.

Ik stop tien kilometer verder bij een grote P en doe het raam open. Er dendert een vrachtwagen voorbij en daarna is het stil. Ik luister naar het geritsel van bladeren, begin aan de eerste club sandwich. Kruimels vallen op mijn schoot, dressing kleeft aan mijn handen.

Als ik de laatste hap van de eerste sandwich doorslik, gaat mijn telefoon, maar ik laat hem in mijn zak zitten. De beller geeft niet op en ik hoor Charlotte schreeuwen dat ze mijn baas weer gaat bellen. Na een paar seconden stilte diep ik de mobiel uit mijn zak om 'm uit het raam te gooien. Maar de drang om te kijken wie er heeft gebeld, kan ik niet weerstaan.

Vier gemiste oproepen van Merel.

Zonder aarzelen bel ik terug. Na twee keer overgaan neemt ze op. 'Ik belde je toch niet wakker?' Merel haalt langzaam adem. 'Ik wilde even zeggen dat ik het lief van je vind. En mijn ouders ook.'

'Lief?'

'Het versje. Op het graf van Leen. Erg mooi.'

Ik weet niet hoe ik moet reageren. 'Ach...'

'Ik kijk in dat fotoboek van ons eerste weekendje weg,' zegt ze na een korte stilte en volgens mij hoor ik een bladzijde omslaan.

Merel giechelt. 'Het geld voor de hotelkamer hebben we er toen wel uitgehaald.' Aan de hand van de foto's praten we over wat we ons van dat weekend herinneren. Na vijf bladzijden zegt Merel dat het genoeg is. 'We spreken elkaar wel weer.'

'Slaap lekker.'

'Welterusten.'

Ik gooi de tas met broodjes in een prullenbak en rijd weg. De vuilniszak in het raam wordt naar buiten gezogen en naar binnen geblazen, steeds sneller, steeds harder. Het doet me denken aan de sleutelscène in *Life of David Gale,* waarin Julianne Moore – om haar gelijk te bewijzen in de strijd die zij en Spacey voeren tegen de doodstraf – zichzelf door verstikking van het leven berooft...

Dit is het.

Zo moet De kleptomaan die niet stelen kon eindigen. Dit is wat ik nodig heb om het hele verhaal te voltooien, om er echt aan te kunnen beginnen. De hoofdpersoon moet zichzelf van het leven willen beroven, dat is waar hij op afstevent, dat is de ultieme diefstal.

Rond middernacht ben ik thuis. Binnen een uur heb ik de slotscène van *De kleptomaan die niet stelen kon* uitgetikt. Nu het einde grofweg op papier staat, heb ik de rust om het verhaal helemaal uit te werken, maar ik voel niet de drang om dat nu te doen. Ik ben moe, en tevreden over de geleverde inspanning.

Mijn gedachten gaan terug naar het korte telefoongesprek in de auto met Merel en mijn oog valt op de plank die bijna bezwijkt onder de fotoboeken. Ik pak er twee en op de bank laat ik langzaam onze eerste jaren aan me voorbijtrekken. Een zondagmiddag in de dierentuin, een dagje Amsterdam, een wandeling in het bos, een weekendje weg. Er zijn foto's van feestjes waar we lachend en dronken en geil op staan. Soms met anderen, vooral met z'n tweeën.

Het tweede boek is het beeldverhaal van onze eerste vakantie. Ik sla het boek op twee willekeurige pagina's open en leg het op mijn schoot. Met de armen achter mijn hoofd gehaakt staar ik naar onze hoofden, met de slapen tegen elkaar op een kussen, net een Siamese tweeling. Het witte laken tot onder haar kin. Mijn ene arm over haar buik, de andere gebogen onder haar nek. Haar arm uitgestrekt zodat ze het plaatje kon schieten. We hadden net gevreeën, voor de zoveelste keer die dag. Ze rook naar zee en zonnebrandolie.

Op de volgende bladzijde had ik het laken tot onder haar borsten getrokken. Het laken en mijn hand zijn nog net in beeld. Ik weet nog dat ze me een viespeuk noemde en dat deze foto niet in het fotoboek mocht. Ik scheur een lege bladzijde uit het boek en trek me af bij deze foto. Ik klop mijn lul uit op het bekladde vel, trek mijn broek op en glijd onderuit op de bank.

8

Ik had net twee mensen afgezet en was onderweg naar een volgend adres toen Merel me belde over een huis dat ze graag wilde bekijken. Ze vroeg naar mijn diensten van deze week en voordat we ophingen, zei ik dat dit voorlopig het laatste huis was dat ik wilde zien. Verder vroeg ik nergens naar. Ik was huizenmoe. Meer nog was ik het zat hoe haar vader telkens weer benadrukte dat we een ruimere keuze zouden hebben als ik de taxi zou verruilen voor een bureau op de scheepswerf, waar had ik anders voor gestudeerd? We waren ruim een jaar verder, maar hij greep nog steeds elke gelegenheid aan om me te herinneren aan de kans die ik had laten liggen.

De volgende dag al liepen we achter de makelaar aan door het huis heen, en keken rond als mensen in een museum. We waren onder de indruk, de indeling was ideaal en de huidige bewoners hadden alles recent opgeknapt. Een groot contrast met de huizen die we hiervoor hadden bezichtigd en die binnen onze prijsklasse lagen. Tijdens die rondleidingen gruwelde ik telkens bij de gedachte aan de inspanningen die ervoor nodig waren om de woningen leefbaar te maken. Ik moest er niet aan denken mijn vrije tijd te verliezen aan fysieke arbeid en ik zag mezelf niet in kluskleding op en neer naar een bouwmarkt rijden voor verf en planken en weet ik veel wat je daar allemaal haalt.

Met afgrijzen, maar met evenveel bewondering, had ik regelmatig gezien hoe andere mensen vol energie in hun huis aan de slag waren. Zelfverzekerd en gedreven. Nergens voelde ik me minder mannelijk dan in een huis waar mensen aan het klussen waren, zeker als er ook vrouwen meehielpen. Nergens voelde ik me ook dommer, alsof ik in een verkeerde collegezaal zat. Ik hoorde termen waarvan ik nooit had gehoord en die ik ook meteen vergat. Soms vroegen ze me iets aan te geven en dan was ik weer de schooljongen die een vraag krijgt waarvan hij beseft dat iedereen het antwoord weet behalve hij, bang dat zijn klasgenoten op zijn aanhoudende zwijgen of een verkeerd antwoord in lachen zullen uitbarsten. Een keer sprong er een waterleiding en de mannen, die met alle kracht het watergeweld probeerden te stoppen, schreeuwden mij toe wat ik moest pakken, wat ik nú moest pakken. Ik verstijfde, zoals mensen verstijven als er ergens wordt gevochten.

Dit huis hoefden we alleen maar naar onze smaak in te richten. Meubels erin en klaar. Wonen, leven. Na de rondleiding gaf de makelaar ons de brochure.

Ik schrok van de prijs die in dikke, zwarte cijfers op de voorkant prijkte.

De makelaar vertelde nog iets, maar ik luisterde niet. Merel was verliefd op een huis dat we niet konden betalen, al zou ik tachtig uur in de week op de taxi rijden.

Thuis gooide ik de brochure in de prullenbak.

'Wat doe je?' riep Merel.

Ik liep de slaapkamer in en liet me achterover op bed vallen. Merel kwam naast me liggen, op haar zij, arm om me heen.

'Waarom zijn we daar gaan kijken?' vroeg ik.

'Mijn vader mailde dit huis door. Over de prijs hoefde ik me geen zorgen te maken, zei hij.'

'Jezus!' Ik gleed van het bed af en ijsbeerde door de kamer. 'Daar hebben we het toch over gehad?'

'Weet ik wel, maar hij wil ons gewoon helpen.'

'Misschien wil hij jou helpen. Hij wil mij vooral het gevoel geven dat ik een loser ben.'

Merel rolde op haar buik. 'Ik weet dat hij een eikel kan zijn, maar jezus Eddie, je moet niet overal wat achter zoeken.' Ze begroef haar gezicht in een kussen, trok de deken over zich heen.

Op de bank in de woonkamer staarde ik wat voor me uit. Met de baan die haar vader me had aangeboden, hadden we het huis lachend kunnen kopen. Ik dacht terug aan de voorbije maanden, die Huig had aangegrepen om mij het gevoel te geven dat ik te min was voor zijn dochter. Het sterkte mij in de gedachte dat het een verstandig besluit was geweest om niet voor hem te werken. Nu geld van hem aannemen zou alleen maar mijn tekortkomingen bevestigen. Ik wilde zijn geld niet, ik wilde niets van hem. Alleen zijn dochter, en die had ik al.

Ik ging terug naar de slaapkamer.

Haar kleren lagen op de grond. Merel lag met haar rug naar mijn helft, ze had de deken tot onder de oksels opgetrokken. Ik kleedde me tot mijn onderbroek uit en kroop tegen haar aan. Haar huid voelde warm als na een dag op het strand. Ik streelde haar rug, bewoog mijn hand op en neer op de maat van haar ademhaling. Pas toen ik haar warme nek kuste, merkte ik dat ze snikte. Ik trok zachtjes aan haar schouder. Ze bood eerst weerstand, maar draaide zich uiteindelijk naar me toe. Over elke wang volgden tranen de sporen van hun voorgangers.

Ze huilde bijna nooit. En als ze huilde, was het meestal van blijdschap. Bij een gouden medaille voor een Nederlander tijdens de Spelen, bij het luisteren naar een cd waarop ik de mooiste teksten voorlas die ik ooit op kaartjes en briefjes aan haar had geschreven. Die cd had ik opgenomen omdat ze me vaak vroeg zo'n tekstje voor te lezen. Ze vond het mooi om mij de woorden te horen uitspreken. Ik had haar zien huilen, door mijn eigen tranen heen, na een begrafenis van iemand van onze eigen leeftijd die we niet eens goed kenden. En ze huilde een keer toen we op zijn sterfdag het graf van haar broer bezochten. Haar ouders stonden er al, merkten ons niet op. Ze waren aan het snotteren en klampten zich aan elkaar vast.

Nu, hier op bed, huilde ze voor het eerst om iets materieels. Ik besefte dat iedere andere vrouw al lang geleden van mij had geëist dat ik een goede baan ging zoeken. Dat ik er alles aan zou doen om haar materiële verlangens te kunnen bevredigen. En dat het voor iedere andere vrouw vanzelfsprekend zou zijn om het ontbrekende geld bij haar pappie los te peuteren.

Merel vroeg niets, zoals ze dat nooit had gedaan. Zoals ze nooit mijn keuzes in twijfel trok, er geen enkele moeite mee had dat ik aanzienlijk minder verdiende dan zij, en dat ik geen zakelijke ambities had. Ambities waarvan zij overliep en die er ongetwijfeld toe zouden leiden dat zij, nog meer dan nu al het geval was, de kostwinner zou worden. Dat vooruitzicht intimideerde mij geen moment.

Vertederd door de manier waarop ze haar teleurstelling probeerde te verbergen, trok ik haar naar me toe. Ze zette haar nagels in mijn heup en in mijn nek zonder dat het pijn deed. Ik voelde warme tranen op mijn borst, haalde mijn vingers als een kam over haar kruin. Ook toen het snikken allang was overgegaan in licht gesnurk.

Een paar weken na die huisbezichtiging was ik aangenomen als accountmanager bij een krantenuitgeverij. Er kwamen geen tranen toen ik haar van dit nieuws op de hoogte bracht, maar aan hoe ze voor me stond en me vasthield, wist ik dat ze me het liefst om mijn nek wilde springen. Ze hield zich in, ik voelde dat ze begreep dat een te enthousiaste reactie mijn schuldgevoel zou versterken, met terugwerkende kracht.

De volgende dag had Merel een verrassing voor me. Vanachter haar laptop vroeg ze me, glimlachend, even te kijken of ik nog e-mail had ontvangen. Ze zette de laptop op mijn schoot en zat naast me als een klein meisje dat toekijkt hoe papa haar cadeautje openmaakt. 'Dit hebben we wel even verdiend,' zei Merel voordat ik kon reageren op haar mail.

Een week later brachten haar ouders ons naar het vliegveld. Merel zat achterin met haar moeder. Omdat de voorste ramen een stukje openstonden, kon ik hun gesprek niet volgen en anders waren het wel mijn eigen gedachten geweest die me doofstom hadden gemaakt. Haar vader en ik hadden de hele rit nog geen woord tegen elkaar gezegd. Alleen bij het inladen van de koffers deelde hij me mee dat ik altijd bij hem aan de slag kon als mijn nieuwe baan zou tegenvallen.

We stopten bij een benzinepomp langs de snelweg. Merel en haar moeder haalden iets te drinken, wij bleven achter in de auto. Het raampje aan de bestuurderskant ging helemaal open en Huig hing met zijn elleboog naar buiten. Met de vingers van de andere hand trommelde hij op het stuur. Af en toe keek hij opzij en ik voelde dat hij de stilte wilde doorbreken. Ik had totaal geen moeite met de stilte. Van mij mocht het zo blijven tot de vrouwen terug waren, of zelfs tot we werden afgezet.

'Weet je,' begon hij. 'Misschien ben ik iets te hard voor je geweest.'

Ik reageerde niet. Toen zijn vingers zo hard op het stuur trommelden dat het irritant werd, herhaalde ik: 'Misschien?'

Daar ging hij niet op in. Hij stopte wel met trommelen. 'Ik was gewoon teleurgesteld. En ik ben... hoe moet ik het zeggen.'

Ik wist precies wat hij wilde zeggen. Dat hij het niet gewend was om nee te horen, om afgewezen te worden. Misschien wachtte hij wel tot ik de zin zou afmaken, zodat hij het niet uit zijn eigen mond hoefde te horen. Alsof hij zich dan niet blootgaf, alleen maar iets beaamde wat iemand anders over hem zei. Liever liet ik hem zwemmen, spartelen, verdrinken.

Er verstreken tientallen seconden waarin losse woorden en halve zinnen uit zijn mond oplosten in het niets. Daarna glimlachte hij wat sullig en keek opzij. 'Wat ik wil zeggen: ik zal me minder met jullie bemoeien.'

Ik liet de woorden bezinken. 'Moet u dit van uw vrouw zeggen?' waagde ik.

Zijn glimlach verdween en hij zei: 'Ik zeg niets waar ik niet zelf achter sta,' waarop een knipoog volgde. Merel en haar moeder kwamen er weer aan en hij stak zijn hand naar me uit. 'Let je goed op mijn dochter?'

Ik schudde de hand waarmee hij de verzen schreef aan zijn dode zoon. Ik zei dat hij zich geen zorgen hoefde te maken.

9

Deze maand krijg ik nog uitbetaald. Pronk schrijft in de brief dat er verder geen sancties zullen volgen op wat er afgelopen maandag is voorgevallen en dat de kwestie hiermee wat hem betreft is afgedaan. Hij wenst me een goede toekomst. De brief ligt op de factuur van de nieuwe autoruit, die ik er vandaag in heb laten zetten.

Ik zet mijn bord spaghetti op de papieren en draai de slierten om de vork heen, terwijl ik de sollicitatiebrief en cv verstuur waar ik al aan begonnen was voordat de brief op de mat viel. Ik trof op internet een vacature aan voor een bedrijfsjournalist en ik heb er een halve dag over gedaan om op papier te krijgen wat mij zo geschikt maakt voor die baan. De combinatie van mijn commerciële achtergrond met creativiteit, inlevingsvermogen en schrijftalent. Om de nadruk te leggen op mijn schrijfvaardigheid en om de aandacht af te leiden van mijn gebrek aan journalistieke ervaring, stuur ik de literaire verhalen mee die de afgelopen jaren zijn gepubliceerd in bescheiden tijdschriften.

Ik eet de spaghetti en lees het scenario van *De kleptomaan die niet stelen kon,* dat ik deze week snel heb kunnen afronden toen ik het einde eenmaal op papier had staan. Ik lees het voor de laatste keer, voordat het naar de schrijfopleiding gaat waar ik me voor heb aangemeld.

De deurbel gaat op het moment dat ik de tekst selecteer om die in een ander lettertype te zetten, zodat ik er met een frisse blik naar kan kijken. Ik verricht snel de benodigde handelingen en loop naar het raam. Het schemert. Met mijn neus tegen het glas kijk ik naar beneden. Ik ren de trap af.

Merel ziet eruit alsof ze al op reis is geweest. Fris, uitgerust, bruin. Ze komt de fotoboeken terugbrengen. Ze is onderweg naar het gemeentehuis om haar paspoort te verlengen.

'Daar ben je lekker op tijd mee. Je vertrekt al over twee weken.'

Ze geeft me gelijk, ook al krijgt ze volgens de gemeente binnen vijf dagen een nieuw exemplaar. 'Ik heb maar niet tegen mijn vader gezegd dat ik nu pas naar het gemeentehuis ga. Je weet hoe hij is.'

Ik houd mijn mond.

'Hij vindt het al niets dat ik die reis maak. Als hij ook nog denkt dat ik me niet goed voorbereid, sluit hij me volgens mij op in de kelder.'

'Daar is het je vader voor,' zeg ik en ik voel me een oude lul. 'Maar je gaat het dus echt doorzetten?'

Ze geeft me het fotoboek. 'Natuurlijk. Ik kan niet wachten.'

Ik bewonder haar wilskracht, haar reislust, haar zucht naar avontuur. Maar ik wil dat haar vader haar opsluit in een kelder. Hij mag me zelfs verbieden om op bezoek te komen.

'Kom je nog even binnen?'

Ze kijkt op haar horloge en dan in de richting van het gemeentehuis. 'De loketten sluiten over een uur,' zegt ze. 'Op zo'n donderdagavond is het natuurlijk hartstikke druk daar. Heb je anders zin om mee te gaan? Hoef ik niet alleen te wachten.'

Alle loketten in het gemeentehuis zijn bezet, net als alle banken. We lopen naar een paal met een scherm om een papiertje uit te printen en nemen plaats in de vensterbank. Niemand praat met elkaar, mensen kijken afwisselend van hun papiertjes naar het scherm waarop hun letter met bijbehorende cijfers tevoorschijn moeten komen. Wie aan de beurt is, schiet overeind, bang alsnog over het hoofd te worden gezien. Als er vlak voor ons twee plekken vrijkomen, doen wij precies hetzelfde. We ploffen neer en ik kijk naar het papiertje in haar hand, naar het scherm, weer naar het papiertje. B039.

Drie banken verderop staan mensen op om zich bij hun loket te melden. Daarachter staat een teamgenoot van Merel met wie ze buiten het tennisseizoen geen of nauwelijks contact heeft. Haar naam ben ik vergeten. Ze staat naast een kerel die ik niet herken. Ze zien ons niet en nemen plaats op de plek die net is vrijgekomen.

'Even gedag zeggen,' zegt Merel. Vijf seconden later wijst ze naar mij. Ik ben al opgestaan. De tijd dat ik dit soort ontmoetingen vermijd is voorbij, ik loop hun kant op. Ferme stappen, rug recht, ogen op een vast punt.

Haar teamgenoot steekt haar hand uit. Zonder aarzeling neem ik het initiatief om elkaar drie zoenen te geven. Ze bloost een beetje, terwijl ik me aan de kerel voorstel en zijn naam, Arjan, bewust hardop herhaal om hem niet te vergeten. Uit haar glimlach en het tempo waarmee die meid ons beurtelings aankijkt, maak ik op dat ze wil weten wat wij hier samen doen.

Merel ziet het ook. 'Niet meteen van alles gaan denken, Lies.'

Ik glimlach om de lichte teleurstelling over die opmerking te verbergen.

Lies is zich van geen kwaad bewust. Ze kijkt opzij naar Arjan. Ik neem genoegen met de eerste associatie die zich opdringt, vraag hem of hij tennist. Hij tennist pas sinds hij Lies kent en kan haar steeds meer tegenstand bieden. 'Maar ze slaat me nog steeds van de baan, hoor,' lacht hij. Ik lach mee om de herkenbaarheid en we haken in op elkaars ervaringen. De meiden mengen zich in het gesprek en al snel komt mijn vernedering tegen Huig ter sprake.

'Je bent daar nu toch wel overheen?' vraagt Lies.

'Ik huil mezelf nog elke nacht in slaap,' antwoord ik. 'Maar verder gaat het wel.' Ik doe mijn best niet als hardste te lachen.

B039 verschijnt op het beeldscherm. Voordat we weglopen, spreken we af om overmorgen te gaan dubbelen.

In bed stuur ik Merel een bericht van twee sms'jes om te zeggen dat ik het fijn vind weer contact met haar te hebben, dat ik me verheug op zaterdag en dat ik hoop dat die kerel van de videotheek nu niet naast haar ligt. Nog voor ik de telefoon op mijn nachtkastje heb gelegd, belt ze me.

'Het is uit.'

Ik kan geen spoor van emotie in haar stem ontdekken. Alsof ze het over het boek heeft dat ze aan het lezen was toen ze mijn sms ontving. Hooguit drie minuten praat ze over haar stukgelopen relatie, voor zover er sprake was van een relatie.

'Ik voelde ook niet de behoefte alles met hem te delen, als je begrijpt wat ik bedoel.'

'Ik begrijp het,' zeg ik en het valt stil. Even zit ik weer op het balkon, de ochtend na die vervloekte nacht. En zij ook, in die ligstoel met een sigaret in haar hand, ik weet het zeker.

Merel verbreekt de stilte. 'Het is een mooi boek, dat ik lag te lezen. *On Chesil Beach* van Ian McEwan, over een pasgetrouwd stel op huwelijksreis. Zal ik je een stuk voorlezen?'

Ik sla de deken van me af, ga op mijn zij liggen en pak mijn groeiende pik beet. 'Ik ben er klaar voor.'

'Goed. Hoofdstuk één.'

Ze begint met voorlezen en ik met trekken, langzaam, ik houd mijn mond weg bij de telefoon. Maar hoe warm en geil haar stem ook klinkt, hoe mooi en rond en helder de woorden ook uit haar mond rollen, al na een paar zinnen zie ik al die blije gezichtjes voor me, van kinderen die in een kring om haar heen zitten en aan haar lippen hangen. Mijn stijve verslapt en ik ga weer op mijn rug liggen, trek de deken tot onder mijn kin en luister.

'"Dus aten ze op hun kamer, bij de halfopen deuren die toegang gaven tot een balkon met uitzicht op..." Luister je nog?'

'Ik lig netjes met mijn handen boven de dekens, als je dat soms bedoelt.'

Ze giechelt. 'Dan is het goed,' en ze leest verder, bladzijde na bladzijde.

'"... en ten slotte was het pasgetrouwde stel dan toch echt alleen."' Ik hoor het boek dichtslaan. 'We zijn halverwege het eerste hoofdstuk. Enthousiast geworden?'

'Ja,' antwoord ik. 'Lees maar verder, lees het hoofdstuk uit. Lees het boek uit!'

Ze schiet in de lach, maar niet zo hard dat ik de telefoon van mijn oor moet houden. Een lachende Merel klinkt net zo fijn als een voorlezende Merel. 'Het is bijna één uur man,' zegt ze. 'Je mag het van me lenen. Of nee, ik koop het voor je. Je verjaardag is toch pas een paar weken geleden.'

'Dank je, maar omdat je zo laat bent met een cadeau, moet je voor straf nog even voorlezen.'

Ze lacht. 'Het is goed met je. Je downloadt het luisterboek maar.'

'*Please*,' smeek ik, mijn lippen tegen de telefoon. 'Alleen dit hoofdstukje nog?'

Ze zucht quasi-vermoeid. 'Even kijken.' Ik stel me voor dat er bladzijden langs haar duim glijden. 'Vooruit,' zegt ze. 'Maar dan ga ik echt slapen.'

10

Traag wandelden we over de boulevard, mijn vrije arm over haar warme schouder, de hare om mijn middel. Onze lippen smaakten naar meloen en perzik en stracciatella. Neonverlichting kleurde de tegels en de mensen. We liepen langs de waterkant, om de overdreven glimlachende mannen die naar lege tafels op terrassen wezen makkelijker te kunnen negeren, en spraken over wat we de laatste dagen van deze vakantie wilden gaan ondernemen.

Halverwege de boulevard zei Merel dat haar voeten pijn deden. Ze ging op een bankje zitten om haar schoenen uit te trekken, op beide hielen glommen flinke roze blaren. Ik hurkte, nam haar voeten in mijn handen. 'Zo kunnen we niet verder,' zei ik met gespeelde ernst. Grijnzend keek ik omhoog. 'En op blote voeten kun je niet over straat lopen.' Ik greep haar bij d'r middel.

'Maar... O nee, Eddie!'

En daar lag ze, na twee pogingen, over mijn schouder, haar schoenen bungelend aan een hand. Ze spartelde als een kind dat in het water dreigt te worden gegooid, maar gaf het snel op en liet zich meevoeren. Ik hield haar stevig vast en liep de eerste de beste steeg in die de boulevard met de brede hoofdstraat verbond. Aan deze kant fonkelden alle restaurants, kroegen, winkeltjes en hotels en aan de overkant lag een bergachtig, dor gebied. Met kronkelende riviertjes en oude huizen. Ik stopte bij een bushalte aan de overkant van de slecht verlichte doorgaande weg en liet Merel zakken op de lange stenen bank, ging naast haar zitten. Hoewel er geen zuchtje wind stond en het broeierig was, kropen we tegen elkaar aan, in afwachting van een pendelbusje.

Vanaf de overkant van de straat riepen vier jongemannen: 'Hello! Hello!' Ze zwaaiden en floten. 'Hello,' riepen ze nog een keer.

Ik zwaaide terug.

Merel trok mijn arm naar beneden. 'Wat doe je nou?'

'Wat?'

'Shit. Daar komen ze al. Die willen ons vast iets aansmeren.'

De jongens staken de weg over en sloften onze kant op. In plaats van verkoopgewauwel in het Engels riepen ze van alles in hun eigen taal. En tussendoor maakten ze sissende geluiden, 'psst, psst'. Ze kwamen steeds dichterbij.

De woorden van haar vader ruisten in mijn hoofd. *Let je goed op mijn dochter?*

De kleinste van het stel stond nu recht voor ons. Hij krabde aan zijn wang. '*Germany? England? Sweden?*'

We zeiden niets en keken langs hem heen. Zijn vrienden stonden er nu ook bij. Een had een dunne snor, die ernaast was groot en had veel haar op zijn armen en schouders, en de derde had blonde plukken in z'n haar.

'Waarom zeg jij niets terug?' zei de kleine in gebroken Engels. 'Zijn jullie beter dan wij?'

We schudden onze hoofden.

'*Germany? England? Sweden?*'

'Holland,' zei ik zonder hem aan te kijken. Nog altijd geen busje in zicht.

'Ah, Holland,' zeiden de grote harige en de snor, met een vieze grijns.

'*Holland girls are good fuck,*' bracht de blonde uit.

'*Are you a good fuck?*' vroeg de kleine aan Merel en hij trok aan het bandje van haar beha. Merel duwde hem van haar af. '*Leave us alone!*' riep ze en ze kwam overeind, priemde haar vinger tegen zijn borst. Hij deed een stap achteruit.

Op dat moment stond ik ook op. 'Laat ons met rust,' herhaalde ik zonder mijn stem te verheffen.

'*You hero?*' vroeg hij.

'*Leave us a...*'

Van rechts klonken ineens zware, krakende stemmen. In de taal van de jongens, in het Turks. Drie oudere mannen naderden de bushalte, de jongens dempten hun toon. Met vermanende vingers leken ze terecht te worden gewezen.

Er reed een blauwe pendelbus onze kant op. De oude mannen eisten alle aandacht op van de jongens, die niet doorhadden dat wij in de bus stapten. Terwijl ik snel wat biljetten uit mijn broekzak griste, zag ik in het midden en achterin wat mensen zitten. Wij ploften op het voorste bankje schuin achter de chauffeur en keken naar buiten. 'Wat een klootzakken,' zei ik. Mijn handen trilden. 'Godverdomme, wat een klootzakken.'

'We zijn van ze af, Eddie.' Merel zei dat ze haar hart in haar keel voelde kloppen. Ze drukte haar wijsvinger tegen het raam. 'Ze staan nog steeds bij die mannen.'

Het busje trok langzaam op en ik stak mijn hoofd, zover het kon, uit een bovenraampje. '*Hey guys!*' schreeuwde ik en de jongens keken op. De oude mannen reageerden niet. '*Go fuck your mother!*' schreeuwde ik zo hard ik kon. '*Go fuck your mother! You fucking motherfuckers!*'

'Ed!' Merel trok me terug op het bankje. 'Erg stoer van je,' zei ze. 'Er-rug stoer.'

Het busje kwam tergend langzaam op gang en nog in de eerste versnelling stopte de chauffeur voor twee vrouwen die met opgestoken hand aan kwamen rennen. Die vier klootzakken waren het busje ook al op enkele meters genaderd.

'*No,*' riep ik. '*Drive!*'

Let je goed op mijn dochter?

De chauffeur hoorde me niet of deed alsof en hij drukte op een knop zodat de deur openging.

Vlak voordat ze in konden stappen, werden de vrouwen opzij geduwd. De kleine sprong naar binnen, met in zijn kielzog die grote harige, en maande de chauffeur om achter het stuur vandaan te komen. Die foeterde en zwaaide met zijn armen, maar hield daarmee op toen hij een mes op zijn keel kreeg. De man werd de bus uit gegooid en de andere twee stapten in. De jongen met de blonde plukken nam plaats achter het stuur.

De kleine zwaaide met het vlindermes naar de andere inzittenden en riep dat ze eruit moesten. Gedwee volgden twee oudere stellen en twee gezinnen met kinderen, van wie er een in huilen uitbarstte, zijn bevel op. Ik draaide mijn gezicht weg toen ze ons passeerden en keek hoe ze een voor een uit de bus stapten.

De blonde rommelde wat met de pook en trok na een

paar seconden op. De drie anderen liepen op ons af. Merel schoof tegen me aan, onze samengeknepen en zwetende handen tussen mijn knieën. Mijn rechterschouder drukte tegen het raam, mijn rug en benen plakten aan de bank. We duwden onze hoofden tegen elkaar.

De kleine stond voor ons, grijnsde, keek op Merel neer en bewoog het puntje van zijn tong tussen zijn voortanden. Het mes had hij niet meer in zijn handen. De snor liet zich op de bank aan de andere kant van het smalle pad vallen, de grote behaarde hijgde na van de inspanningen en ging achter ons zitten, ik voelde zijn adem in mijn nek.

Buiten zag ik de chauffeur over zijn schouder kijken hoe zijn bus wegreed, waarna hij met zwaaiende armen een winkel in rende, gevolgd door een paar van die oudere mensen. De drie oude Turkse mannen wezen ons na. Een man stond met een telefoon aan zijn oor.

'Kijk,' fluisterde ik en ik knikte naar buiten. 'Kijk. Zij laten dit vast niet gebeuren.'

Na een paar honderd meter sloegen we rechtsaf de heuvels in. De vier waren nu vooral druk met elkaar en aan de gebaren te zien ging het vooral over de te volgen route. Er volgde een lang recht stuk en opeens weken we uit naar een hobbelige weg. Uiteindelijk draaiden we een pad op dat leek op een oprit, er stond een hek open. Daar trapte de blonde op de rem.

Merel werd van me losgerukt en de blonde en de snor sleurden haar mee naar buiten. Die grote behaarde trok mij van mijn plaats en smeet me het busje uit. Ik kreeg een hap zand binnen. Twee armen takelden me omhoog.

'Mijn moeder neuken, zei je?' Een grijns, kiezelharde knokkels. Bloed in mijn mond, aan de binnenkant van mijn wang. Schoppen in mijn zij, tegen mijn ribben en knieën. Geen oude mannen die ons kwamen redden, alleen zand en bloed en duisternis. Harde knokkels en neuzen van schoenen.

Ik werd omhooggetrokken en meegesleept naar het hek. Daar moest ik toezien hoe Merel weerloos was tegen de sterke armen die haar tegen het staal drukten. Die grote zat met een knie tussen mijn schouderbladen en ik snakte naar adem, mijn borst klapte uit elkaar. Hij verplaatste zijn knie naar beneden en hield mijn hoofd aan mijn haar omhoog. Hierdoor kreeg ik meer lucht en ik zoog de klamme nachtlucht zo diep mogelijk mijn longen in. Ik schreeuwde en wendde mijn gezicht af, om niet te hoeven zien wat er zich voor mij zou afspelen, maar twee grote handen dwongen me vooruit te blijven kijken en vingertoppen dwongen me mijn ogen open te houden.

Merel gooide haar hoofd in d'r nek en krijste, schreeuwde, jankte. De blonde drukte zijn hand op haar mond. De snor tilde haar een paar centimeter van de grond op en zei iets tegen haar. Tussen hun hoofden zat bijna geen ruimte. De blonde scheurde haar blouse open.

De kleine riep iets naar de jongens die Merel vasthielden. Ze deden een halve stap achteruit, zonder haar los te laten.

'Luister goed,' zei hij tegen ons. Er brak een takje onder zijn voet.

We hadden geluk dat hij in een goede stemming was, zei hij, want we mochten kiezen. *'First choice is...'* Hij richtte zich tot Merel, beet op zijn onderlip en bewoog zijn heupen van voor naar achter, steeds sneller. '*All four of us.*' Vervolgens liep hij voor mij langs naar de andere kant van het pad, naar de stenen stoeprand die het pad begrensde. '*Or your head here.*' Zijn voet hing een halve meter boven de stoeprand en hij wees op de ruimte ertussen. '*With your teeth like this.*' Hij sperde zijn mond zo ver mogelijk open en trapte tegen de stoeprand. '*Just like in American History X,*' zei hij. '*With that nigger.*'

Nog voor ik kon reageren, gilde Merel: '*Never! Never!*'

De kleine draaide meteen weg van de stoep, liep haar kant op en grijnsde. Hij trok het mes waarmee hij in de bus iedereen had weggejaagd. '*No screaming!*'

Met tranen en zand in mijn ogen, wilde ik ze smeken alles met me te doen wat ze wilden, maar Merel met rust te laten. Ik opende mijn mond zover ik kon, maar mijn keel was dichtgesnoerd. De woorden die uit mijn mond kwamen waren halffabrikaten en losten op in de duisternis, als ademwolken. Ik sleepte mezelf naar de stoep toe, maar sterke armen hielden me tegen. De vingertoppen hielden mijn ogen open, nagels prikten in mijn oogleden. Hadden ze mijn ogen maar uitgekrabd.

Let je goed op mijn dochter?

De volgende ochtend werden we tegelijk wakker. Gek genoeg waren we terug in ons appartement uiteindelijk in slaap gevallen. We waren naar het hotel gebracht en zonder iets tegen elkaar te zeggen gingen we onder de douche en lieten we ons nauwelijks afgedroogd op bed vallen. Daar had ik met regelmatige intervallen over haar rug gewreven, haar kruin gekust. Toen de rest van mijn lichaam was opgedroogd, bleef mijn borst nat. Er knapten vliesjes in haar neus als ze inademde. Ik had haar ademhaling gevolgd, hetzelfde tempo aangehouden.

Merel stond op en liep naar het balkon om een sigaret te roken. Op haar tenen bereikte ze de ligstoel in de schaduw.

Ik probeerde door te slapen. In mijn ogen de enige remedie om deze dag door te komen, en niet alleen deze dag. Ik draaide voortdurend mijn kussen om mijn hoofd verkoeling te geven, maar de stijgende hitte vulde de slaapkamer en zweet trok in de lakens, in mijn kussensloop. Mijn lijf was een open wond.

Na een halfuur douchen liep ik de badkamer uit. Merel lag nu op haar rug op bed, met haar hoofd bij het voeteneinde. Een opengeslagen boek op haar buik, daarbovenop haar handen. De lamellen voor het grote slaapkamerraam sneden het binnenvallende licht in smalle repen. Enkele vielen schuin over haar heen. Toen ze mij opmerkte, tastte ze naar het boek, legde het weg en liep voor de tweede keer deze ochtend naar het balkon om een sigaret te roken.

De klapdeuren stonden open, de hitte omhulde me. Zweetdruppels rolden alweer over mijn rug en buik. 'Verdomme,' mompelde ik en ik schopte een stapel kleren omver, raakte iets hards. 'Fuck!' Ik greep naar mijn teen en plofte op bed. Merel reageerde niet op mijn pijnkreet. 'Merel? Merel! Hangt mijn handdoek daar?'

Toen de pijn in mijn teen was weggeëbd, liep ik op mijn slippers het balkon op.

Merel zat op de ligstoel en staarde voor zich uit, over

haar zonnebril heen. Een been gestrekt, het andere opgetrokken. Haar handen gevouwen rond de knie. Ze
schoof haar zonnebril omhoog. 'Zei je wat?'

Ik trok mijn handdoek van de balkonmuur. 'Laat
maar.' Ik zeeg neer in de ligstoel naast haar en keek tussen de spijlen van het balkon uit op het smalle, zorgvul-
dig onderhouden park tussen ons hotel en het strand.
Links en rechts struinden mensen over de paden en
trappetjes naar het strand.

Na een paar minuten gebaarde ze mij naar voren te
buigen. Ze kneep haar ogen dicht, tuitte haar lippen en
ik koesterde de warmte van haar mond, de vertrouwde
geur van haar huid. De kus duurde een paar seconden
en daarna keken we elkaar vluchtig aan.

11

Het is een drukke middag op het tennispark, volgens Merel de eerste mooie zaterdag van het seizoen, en na een uur koffiedrinken en kletsen kunnen we de baan op. Gemengd dubbelen is wel het eerlijkst, zeggen Merel en Lies tegen elkaar. 'Anders moeten we ons zo inhouden.' Ze herhalen die woorden een paar keer als Arjan en ik een fout maken. Na één set besluiten we een strijd der geslachten uit te vechten. Door overdreven te juichen en te high-fiven na een punt, lukt het Arjan en mij de dames op momenten uit hun spel te halen. Het levert ons drie games op, en door gravel besmeurde knieën en handen van de inspanningen die ervoor nodig zijn de punten binnen te halen.

In de laatste game die we kunnen spelen voordat onze speeltijd voorbij is, lobt Merel een bal over me heen, te laag. Ha! Ik doe een paar passen achteruit en breng mijn racket de lucht in. Vlak voor ik wil smashen, zie ik Huig langs de kant staan, leunend op de omheining. Ik haal vol uit, maar voel geen weerstand, hoor slechts lucht door de bespanning zoeven.

'Achter je,' roept Arjan. 'Draai je om!'

Gedesoriënteerd maak ik een pirouette. Ergens kom ik inderdaad de bal tegen en ik sla een hoge forehand.

De bal vliegt zonder het gravel te raken in het hekwerk aan de overzijde. Het hek trilt, de bal klemt in het gaas. Ik kijk vol verontwaardiging naar mijn racketblad en pulk aan de bespanning, sla gravel van mijn schoenzolen.

Na twee verloren sets moeten Arjan en Lies ervandoor. Arjan en ik spreken af om over een paar dagen tegen elkaar te spelen.

Onderweg naar het terras maakt Huig geen opmerking over de gemiste smash. Hij zegt alleen maar dat hij het leuk vindt mij weer te zien, bestelt drinken voor ons en bedankt me voor het versje dat ik op het graf van Leen had neergelegd. 'Ik was ontroerd. Dat durf ik wel toe te geven.' Huig kijkt mij door de vierkantjes van zijn bespanning aan en speelt met een paar snaren.

Zijn tennismaten staan bij de ingang van de kantine en roepen hem. Hun hangtafel staat vol met drank en hapjes. Huig steekt zijn hand op, stopt het racket in de tas die over zijn schouder hangt. 'Komen jullie vanavond eten?' Hij richt zich tot zijn dochter. 'Je moeder heeft weer een veel te grote stoofschotel gemaakt.'

'O,' begint Merel. 'Ik weet niet of...'

'Lijkt me gezellig,' zeg ik.

In onze tenniskleren fietsen we naar het huis van haar ouders. Langs het kanaal, over bruggetjes en door het dorp waar ze wonen. De zon is rood en hangt laag, nog net boven de herenhuizen aan het water.

Merel vraagt naar mijn werk en ik zeg dat er vooral sinds mijn verjaardag, bijna drie weken geleden, het een en ander is veranderd. 'Jouw carrièreswitch heeft mij ook aan het denken gezet,' lieg ik. 'Ik heb afgelopen week ontslag genomen en voordat jij me ophaalde om je paspoort te verlengen, heb ik gesolliciteerd naar een baan als bedrijfsjournalist.'

'Wat gaaf! Lijkt me echt iets voor jou. Lekker stukken schrijven.'

'Precies. En ik wil een opleiding scenarioschrijven gaan volgen.'

'Ik ben trots op je, Ed. Echt.' Merel glimlacht, legt haar hand op mijn schouder en houdt haar benen stil. Niets aan haar lichaam beweegt en het lijkt of ze naast me zweeft.

'Over minder dan twee weken zit je in de trein richting Azië,' zeg ik.

'Als het aan mij ligt volgende week al. Zodra ik mijn paspoort heb, ga ik dat regelen. Ik wil echt zo snel mogelijk weg.'

Haar vingertoppen klauwen zachtjes in mijn schouder. Ik kijk haar kant op, wil dat ze in mijn ogen kan lezen wat ik ervan vind. Ik wil haar horen zeggen dat ik de enige reden ben waarom ze misschien niet een week eerder weggaat, en waarom die hele reis niet doorgaat. Het lukt me niet oogcontact met haar te krijgen.

Merel vertelt over de mensen van de stichting, over hoe die mensen haar visie op het leven hebben veranderd. Vol enthousiasme wijdt ze uit over hoe ze bij dat project in Sri Lanka actief met haar inzichten aan de gang wil gaan. 'Maar eerst die treinreis.'

Ik vraag of die reis en dat project echt nodig zijn om die nieuwe kijk op haar leven, op het leven, te bezegelen en nog voordat ik ben uitgesproken zegt ze dat ik net haar vader ben. Ik zeg hier niets op terug en zij vraagt mij ook niet te reageren. Maar na een minuut, twee minuten: 'Je snapt toch wel dat ik dit wil doorzetten?'

'Jawel,' geef ik toe. 'Denk ik.'

Ik hou mijn mond er verder over. Ik wil niet zo iemand zijn die een ander een mooie reis uit het hoofd praat, ook al wil ik niet dat ze een mooie reis gaat maken. Maar ik wil meer zijn dan een jongen met wie ze een potje tennist of met wie ze haar paspoort gaat verlengen. Dat wil ik, weer. En dan moet ik haar niet van die reis weerhouden.

'Ik vind het wel lief, hoor,' zegt ze.

'Wat?'

'Dat je zo bezorgd bent. Dat is lief.'

In de straat van haar ouders slaat de twijfel toe. Op een meter of honderd van haar huis rem ik en vraag Merel of dit wel verstandig is. 'Suggereren we hier niet iets mee wat we niet waar kunnen maken?'

'We gaan alleen een hapje eten bij mijn ouders,' zegt Merel. 'We suggereren helemaal niets. En er is niets om waar te maken.'

Aan tafel drinken we wijn uit de geslepen glazen waaruit ik al liters heb gedronken. Huig belt dat hij onderweg is, haar moeder schudt haar hoofd als ze ophangt en maakt klokgeluiden terwijl ze een denkbeeldig glas voor haar mond omkeert.

Na een halfuur verschijnt Merels vader in de achtertuin. Zijn schoenen en tas laat hij netjes buiten staan, maar hij trekt wel een racket uit de tas en loopt ermee naar binnen. 'Is het weer zover?' vraagt Merel aan haar moeder.

'Het is weer zover,' antwoordt Vivian.

Glimlachend negeren ze hoe hij voor de manshoge spiegel in de woonkamer zijn fore- en backhand demonstreert. Hij maakt het geluid dat bij de slagen hoort. Tussen de slagen door zegt hij steeds: 'En dat op mijn zestigste. Wat zeg je daarvan?'

'Ga zitten, Huig,' zegt Vivian. 'De schotel staat klaar.'

Hij gaat tegenover mij zitten en ik zie de glazige blik in zijn ogen. Ik herken de man van vroeger, aan wie ik mooie herinneringen bewaar. Avonden van lang natafelen, avonden dat ik nergens anders wilde zijn. Ik hoop maar dat hij niet over zijn overleden zoon begint, of over de baan die ik niet meer heb. Of over de laatste keer dat ik hier was...

Vivian schept het eten op en vraagt hoe het komt dat Merel en ik met elkaar zijn gaan tennissen. Ik leg uit dat Merel eergisteren voor de deur stond met het fotoboek van New York en dat ze mij vroeg mee te gaan naar het gemeentehuis, omdat ze haar paspoort nog moest moesten verlengen en dat we daar –

Merel schopt me.

'Paspoort verlengen!' roept haar vader. 'Nu nog?' Bloed stroomt naar zijn wangen. Hij spreidt zijn armen. 'Zie je wel, zo'n reis is niets voor jou! Dat vind jij toch ook, Ed?'

'Ik–'

'Die reis is voor mij gemáákt!'

'Je hebt geen idee waar je aan begint, meisje.'

'Schiet op met je "meisje"! En ik weet wel waarom jij Eddie uitnodigde om hier te komen eten. Je zoekt gewoon een bondgenoot. O, wat achterbaks van je!'

'Alsof ik hem als bondgenoot nodig heb. Schei toch uit.'

Haar moeder loopt van tafel als ze allebei gaan staan en met wijsvingers hun verwijten kracht bijzetten.

Ik doe wat ze van me gewend zijn: niets. Maar ik hoop dat ze naar hem zal luisteren, hoe onredelijk en bezopen hij ook is, hoe overdreven zijn stemverheffingen ook zijn.

Merel zegt iets van de walm uit zijn 'bek'.

Hij slaat met twee platte handen op tafel. 'Ik blijf je vader!' schreeuwt hij. 'Zo praat je godverdomme niet tegen mij!'

'Goh,' neemt Merel op minachtende toon over, 'ga je er nu bij schelden?'

'Ik ben je vader! En ik wil niet dat je gaat.' Hij hijgt erbij alsof hij moet kotsen. Zijn ogen zijn nat. 'En ik scheld als ik dat wil, godverdomme!'

Nu is het moment.

'Ze is een volwassen vrouw,' zeg ik zo kalm mogelijk. Een dooddoener eersteklas, ik besef het, maar weet zo snel niets beters. Ik neem het voor haar op, daar gaat het om. Maar ze horen me niet, er vliegen verwensingen over en weer. Ik schraap mijn keel en verhef mijn stem. 'Ze is terug voor u er erg in heeft. Laat haar gaan.'

Er valt een stilte. Vanuit de keuken verschijnt het hoofd van Vivian. Het is een vreselijke stilte, waarvan ik duizelig word.

'Als iemand zijn bek moet houden,' zegt Huig. 'Dan ben jij het! Jij hebt het die vakantie zover laten komen klootzak!'

'Pa!' gilt Merel.

'Huig!' roept Vivian vanuit de keuken.

Ik kijk naar Merel. 'Weten zij... Heb jij...'

'Niet ik,' zegt Merel kalm. Ze gaat zitten en streelt

mijn nek. 'Jij hebt alles zelf verteld. De laatste keer dat je hier was...'

'Maar dat weet je natuurlijk niet meer,' vult Huig aan. 'Ik krijg nog twee flessen wijn van je!'

Merel neemt het voor mij op. Hij moet niet zulke 'bullshit' uitkramen, dat het allemaal mijn schuld is. Het was een samenloop van omstandigheden, maar als er één iemand is die aangewezen kan worden als schuldige, dan is hij het wel. Zijn houding ten opzichte van mij was sinds ik de baan bij die 'kutschepen' van hem had geweigerd, totaal omgeslagen, en hij moest eens weten hoe moeilijk ik het daar toen mee had en welke druk ik had gevoeld, terecht of niet. 'Heb je je dat ooit gerealiseerd?' vraagt Merel.

Huig gaat weer zitten.

'Onderweg naar het vliegveld heb ik mijn excuses aangeboden,' zegt Huig vlak. Ik denk terug aan hoe hij in de auto had gezocht naar woorden, hoe ik daarna had beloofd goed op zijn dochter te letten. Hoe ik de hand schudde waarmee hij talloze versjes aan zijn zoon had geschreven.

Met de fietsen tussen ons in lopen we het grintpad af. Haar moeder zwaait vanuit de deuropening, haar vader staat voor het raam met zijn armen over elkaar. Bij de stoep stappen we op, in het licht van de lampen aan weerszijden van het hek. Voordat we wegfietsen, raken onze sturen elkaar. Merel grijpt mijn mouw en trekt me naar haar toe, kust me. Haar lippen en tong zijn warm en zoet.

Voordat we de hoek om fietsen, kijk ik het erf op. Haar moeder staat nog steeds in de deuropening, haar vader is verdwenen.

De ruzie van gisteren resoneert al de hele dag door mijn hoofd. Achteraf waren zijn dode zoon en mijn status als werkloze heel aantrekkelijke gespreksonderwerpen geweest. Huig had in huilen mogen uitbarsten en zich aan mij mogen vastklampen om letterlijk uit te braken dat hij in mij de zoon had gezien die hij had verloren en dat zijn houding ten opzichte van mij daarom zo was omgeslagen nadat ik had geweigerd voor hem te werken. Hij had de hele avond tegen me mogen zeuren dat alles dan anders was gelopen. Alles liever dan de ruzie die oplaaide over haar reis.

Merel zit nu in de woonkamer en leest *De Kleptomaan die niet stelen kon*, dat ik ondertussen heb doorgestuurd naar de scriptschool. Ze is langsgekomen voor haar backpack, die ze hier blijkbaar had achtergelaten. Ik ben voor het eerst in die bijna tweeënhalf jaar weer op zolder, waar ik de rugzak snel heb gevonden.

Ik keer 'm ondersteboven, sla op de onderkant, maar er komt niets uit, alleen stof.

Door de vliering heen hoor ik haar in de lach schieten en niet veel later staat ze onder aan de trap. 'Prachtig verhaal.' Ze zet een voet op de onderste trede. 'En een hele mooie slotzin.' Ze houdt het papier voor zich en leest: *Er kon niets meer misgaan.*

12

We ontbeten op het kleine dakterras van ons appartement, een magneet voor al het licht en alle hitte van de
wereld. We zaten hier nooit, een parasol hadden we
niet. Ik kon mijn ogen nauwelijks openhouden, voelde
mijn nek en schedel verbranden. Als Merel mij niet had
gevraagd samen buiten te ontbijten, zou ik nu op de
fiets door de duinen klieven, de wind in mijn ogen, tranen langs mijn slapen. Ik stond al met een mueslireep
en een gevulde bidon in mijn ene en de deurklink in
mijn andere hand. Ze had me niet eens horen opstaan,
zei ze, laat staan dat ze wist dat ik zou gaan fietsen. Of
had ik het gisteravond tegen haar gezegd? 'Ja,' loog ik,
'maar misschien sliep je al.'

'Kut zon,' zei ik, terwijl ik mijn krant bij elkaar probeerde te houden. 'Kut wind.'

Merel las een of ander vrouwenblad, haar ogen volgden haar wijsvinger. Ze knikte en zei: 'Heerlijk.'

Tussen onze borden spatte een witte klodder uiteen.
Twee meeuwen cirkelden enkele meters boven ons en
slaakten sardonische kreten. 'Ik ben het hier zat,' zei ik
en ik wreef over mijn hoofd. Ik voelde alleen stoppels,
geen poep. 'Ik ga fietsen.'

'Lekker gezellig.'

'Ben zo weer terug.'

'Gaan we daarna iets leuks doen?'

'Zoals wat?'

'Als jij dat nou eens op de fiets bedenkt.'

'Is goed,' zei ik en ik nam onze borden en glazen mee naar binnen. Achter mij trilde haar mobiel op tafel.

'We eten vanavond bij mijn ouders,' riep Merel me achterna.

Als ik iets dieper had gezucht, was ik in elkaar gestort, het licht uit mijn ogen verdwenen. Ik riep terug dat ik eigenlijk van plan was om vanavond lekker op bank te hangen en een paar goede films te kijken, dat ik me daar al de hele week op verheugde.

'Je doet niet anders dan op de bank hangen als je thuis bent. Ik sms mijn moeder dat we er om zes uur zijn.'

Gisteren was ze zoals gewoonlijk uitgeput thuisgekomen. Toen ze op de bank plofte, zag ze op tafel het plastic bakje van mijn opwarmlasagne staan. Aan de binnenkant kleefden resten gesmolten kaas. Ze vond het stinken en vroeg me het weg te gooien. En had ik niet even de woonkamer kunnen opruimen?

Ik zei dat ik ook de hele dag had gewerkt, maar om van het gezeik af te zijn stond ik evengoed op om het weg te gooien. Ondertussen scande ik de kamer. Overal zag ik tassen en kleren, en de tafel en tweezits waren bedolven onder de tijdschriften en papieren. Allemaal haar rotzooi, alleen de schoudertas tegen de deurpost was van mij.

'Ik ruim ook zo vaak jouw bende op,' zei ze. 'Het kan geen kwaad als jij een keer mijn spullen opruimt.'

'Om straks weer te horen dat ik alles op de verkeerde plek heb gelegd zeker?'

Voor zover dat kon, gleed Merel nog verder onderuit op de bank. Ze probeerde de werkdag uit haar gezicht te wrijven. 'Dus je hebt ook niet gezogen?'

Vanuit de keuken antwoordde ik: 'Dat heb ik gisteren al gedaan.'

'Maar je hebt niet de meubels opzijgezet!'

Ik zuchtte en riep: 'Gezellig dat je weer thuis bent.' Daarna vroeg ik hoe zij erbij kwam dat ik de meubels niet opzij had gezet, had ze het soms gecontroleerd, was ze op haar knieën over de grond gekropen?

Merel vond dat een kinderachtige opmerking. 'Ik kan vanaf de bank het stof rondom de tafelpoten zien. En de nootjes onder de tweezits.'

'Ik doe het morgen wel opnieuw,' zei ik om ervan af te zijn en liet de film zien die ik had gehuurd.

Tien minuten later sliep ze.

Bij de aftiteling van de film tilde ik haar naar bed en ging terug naar de woonkamer om wat bonusmateriaal te bekijken. Daarna controleerde ik of Merel nog sliep. Ze lag met haar rug mijn kant op, snurkte licht, de deken half over haar hoofd. Terug in de woonkamer schoof ik *Y tu mamá también* in de dvd-speler en zapte naar de scène dat zij zich op de hotelkamer laat beffen en naaien door een van die twee jongens. Ik kwam op hetzelfde moment klaar als die knul en liet mijn zaad samenklonteren in het T-shirt waarin ik de nacht ervoor had geslapen.

De eerste kilometers fietste ik volle bak, op de zwaarste versnelling. Het bloed stroomde naar mijn dijen en kuiten en er bleef net genoeg over voor mijn hersenen om niet te verdwalen, om te kunnen bepalen of het verstandig was fietsers voor me in te halen. Net genoeg om te remmen in scherpe bochten en voor stoplichten. Om door te kunnen trappen waande ik mij de ene topwielrenner na de andere, ronderenners en klassiekerbeesten, terwijl ik de koers zelf van commentaar voorzag. *Zie je die soepele tred, dat roerloze bovenlichaam. En dat na een solo van ruim honderdzestig kilometer! Zijn voorsprong is nog een minuut, ze hijgen in zijn nek. Het peloton komt op gang. Maar hij is sterk, hoor, man, man, man, hij is loeisterk. Wat een finale!'* Heuvels en viaducten waren cols van de buitencategorie, slechte fietspaden waren kasseienstroken. Ik droeg gele, roze en groene truien, de bergtrui. En overal reed ik alleen op kop. Ik sprintte op stoplichten af en hing voorover op mijn ligstuur bij lange, vlakke stukken die maar duurden en duurden.

Aan de voet van een langzaam oplopende helling zat ik er helemaal doorheen, maar ik schakelde twee tandjes terug, zette aan, ging op de pedalen staan en negeerde de verzuring. Boven zakte ik terug op mijn zadel en ging rechtop zitten. Een stel van middelbare leeftijd knikte mij vanaf een bankje toe. Een recreant haalde me in.

Tijdens het lange stuk naar beneden hield ik mijn benen stil en dacht aan de tijd dat ik het nog fijn vond om een avond bij haar ouders door te brengen. Ik kon me altijd verheugen op het eten, de wijn en op de gesprekken. Op de momenten dat Huig na het eten de volumeknop van de cd-speler zo ver opendraaide dat je Vivians hakken niet op de houten vloer kon horen tikken, terwijl ze door Huig de hele kamer werd rondgezwierd. Merels wangen kleurden dan rood van plaatsvervangende schaamte, maar ik keek met genoegen naar het dansende stel en hoopte dat wij in de verre toekomst ook zo door een kamer rond zouden zweven.

Deze avond danste er niemand door de kamer.

Voordat we aan tafel gingen, zat Huig achter zijn bureau en op zijn aandringen keken wij met tegenzin mee op het scherm van zijn laptop. Onze hoofden hingen naast de zijne.

'Wat vind je hiervan,' vroeg hij en hij klikte langs de foto's van een mooi huis dat binnen ons budget lag. 'Ja, dat huis ken ik,' loog Merel, want we hielden het aanbod al weken niet meer in de gaten. 'Vind ik niets. En Ed ook niet.'

'Nee, is niets voor ons,' zei ik toen hij me aankeek. Merel las ondertussen de omschrijving en sprak haar bezwaren uit.

Huig had nog twee huizen die hij wilde laten zien, hoe vaak Merel ook tegen hem zei dat ze daar vanavond geen zin in had. Bij beide huizen kreeg hij dezelfde reactie als bij het eerste. 'Wat willen jullie dan wel?' riep hij uit.

'We zijn gewoon kritisch,' antwoordde Merel, waarop Huig het krot beschreef waar hij en Vivian in waren gestart.

'En misschien wíllen we wel gewoon blijven huren.'

Huig schoot in de lach. 'Jezus, Merel, heb ik je daarvoor laten studeren, voor zo'n opmerking?'

Toen begonnen ze tegen elkaar te schreeuwen en ging ik naar de keuken om Vivian te vragen of ik ergens bij kon helpen.

Tijdens het eten vroeg Huig hoeveel ik eigenlijk per maand verdiende.

Merel keek op van haar bord, maar at door. Vivian stootte hem aan. 'Huig, zoiets vraag je niet,' waarop hij zei dat we daar toch niet geheimzinnig over hoefden te doen.

Vivian keek hem streng aan.

'Maar goed, ik hou mijn mond wel weer.'

Daarna zei niemand meer iets en binnen tien minuten waren we klaar met eten. Een voor een zeiden we dat het lekker had gesmaakt. Vivian zelf als eerste.

Ik ging voor de tweede keer die avond naar de plee en zat op het deksel, leunde achterover tegen de stortbak. De woordpuzzel op de scheurkalender had ik bij mijn vorige wc-bezoek al opgelost. Ik bladerde langs raadsels van de rest van de maand. Er was geen tijdstip om naar uit te kijken, om me aan vast te klampen. Wanneer we weg zouden gaan, hing van Merel af.

Na de koffie gaf ik haar voorzichtig een knietje, en nog een, tot drie keer toe. Ze sloeg mijn been weg. 'Hou daar eens mee op!'

Toen Vivian onze kopjes opnieuw vol wilde schenken en Huig iets tegen haar zei, fluisterde ik haast onhoorbaar: 'Merel, ik wil gaan.' Zij knikte geërgerd en kondigde ons vertrek aan.

Binnen een halve minuut had ik haar jas gehaald, de mijne aangetrokken en stond ik haar, tegen de deurpost aangeleund, op te wachten. Het einde van ons bezoek was een vooruitzicht dat moeder en dochter deed beseffen dat de minuten ervoor in zwijgzaamheid verloren waren gegaan en ze begonnen aan een inhaalslag.

Een eeuwigheid leunde ik daar tegen die deurpost, luisterde ik naar hun geratel. Ik probeerde een moment te vinden om Merel eraan te herinneren dat het tijd was om te gaan. Ik zocht oogcontact, maar niet te opzichtig. Huig zat met zijn rug naar me toe, maar hij kon me zien in de reflectie van het raam achter Merel. Net op het moment dat hij even zijn aandacht voor me verloor en Merel eindelijk mijn blik beantwoordde, knikte ik vinnig opzij.

Merel schudde kort haar hoofd en hing haar jas, die de hele tijd op haar schoot had gelegen, aan de stoel waar ik de hele avond had gezeten. Ze schoof wat dichter naar de tafel toe en schonk nog een half glas water uit de karaf.

Ik bonsde op de deur, iets harder dan mijn bedoeling was. Het deed zeer aan mijn pink. 'Gaan we nu nog of hoe zit het?' Mijn stem sloeg over en ik voelde dat ik rood werd. Ik trok mijn kraag zo hoog mogelijk op.

'Hou eens op met dat gestress,' zei Merel. 'We hoeven toch nergens heen?'

Vivian keek over haar schouder. Huig bleef voor zich uit kijken en schudde zijn hoofd. 'Anders ga jíj toch,' zei hij.

Merel knikte naar de deur. 'Ja, wacht maar in de auto. Ik kom er zo aan.'

In de auto voelde ik me tot rust komen. Ik legde mijn handen naast elkaar op het koude stuur en rustte met mijn hoofd tegen de steun, staarde voor me uit, het huis in. De vitrage voor het grote raam dempte het felle licht vanuit de eetkamer, hun hoofden waren donkere vlekken. Ik opende het raam een stukje, deed mijn ogen dicht en concentreerde me op geluiden buiten de auto, maar ik hoorde helemaal niets. Niet vanuit de tuin, waar de eerste herfstbladeren roerloos op het grind lagen, en niet vanuit de wereld hierbuiten. Zo zat ik daar een hele tijd en mijn ademhaling werd steeds rustiger en ik vond het niet erg om daar te zitten zonder haar, om te wachten tot ze naar buiten kwam.

Na die avond keek ik nog één keer vurig naar haar uit. Tijdens een dagje sloepvaren met de uitgeverij was ik ziek geworden en een collega die eerder naar huis moest vanwege zijn kinderen had me afgezet bij de Mc-Donalds waar de provinciale weg vanuit mijn dorp en de snelweg elkaar kruisen. In de auto had ik Merel gebeld dat ze me eerder op kon halen dan afgesproken en dat kwam haar eigenlijk niet goed uit, maar ze zou haar best doen mij niet te lang te laten wachten.

Mensen zonder jas liepen de Mac in en uit. Bibberend van de koorts stond ik daar – capuchon op mijn hoofd, kraag tot mijn neus, handen in de mouwen – precies op de plek waar Merel me 's ochtends had afgezet. Alsof ze me niet zou vinden als ik een paar meter verder op een bankje ging zitten.

Al de hele dag verlangde ik ernaar in mijn bed te liggen, zwelgend in zelfmedelijden, drijvend in mijn eigen zweet, ineengekrompen van de buikkrampen. Ik vervloekte deze zaterdag, de uren dat ik met twaalf graden en regen en een snijdende wind in een sloep had doorgebracht, op open water. Niet de best denkbare afsluiting van een week waarin ik van dinsdag- tot en met donderdagavond had gezopen tijdens de jaarlijkse kermis in mijn geboortedorp, waar ik voor het eerst in jaren heen was gegaan, op aanraden van een oude schoolvriend die ik tegen was gekomen. Ik sliep ook bij hem, omdat Merel niet wilde dat ik die nachten stomdronken bij haar in bed zou kruipen. Wel sms'te ik haar voor ik in slaap viel, maar hoezeer ik ook mijn best gedaan moet hebben, aan het tijdstip en aan de spelfouten kon ze opmaken in welke staat ik verkeerde. Overdag wilde ze me niet spreken omdat ze druk aan het werk was, zei ze.

Mijn verminderde weerstand openbaarde zich pas tijdens de sloeptocht. Voordat we het water op gingen, voelde ik me fit. Ik was helemaal opgeknapt van die zuipdriedaagse, omdat ik de volgende dag vrijwel onaf-gebroken in mijn badjas op de bank had doorgebracht. Meer dan kraanwater, paracetamol en een banaan had ik die vrijdag niet tot me genomen, waardoor ik geen idee had dat de koelkast, vriezer en broodtrommel zo goed als leeg waren. Dat Merel me de volgende och-tend afzette bij de Mac en 's avonds weer ophaalde, mag een wonder heten.

Haar auto doemde op, zo leek het. Bij het stoplicht wist ik zeker dat zij het was. Ik zwaaide toen ze de bocht nam, maar kon door het felle licht van de kop-lampen niet zien of ze terugzwaaide. Puffend en steu-nend nam ik naast haar plaats. Ik wilde haar een zoen geven, ze wendde haar gezicht af. 'Ik kan niet ziek wor-den. Komt me erg slecht uit.'

Ik wilde haar zeggen hoe ons dat vroeger niet uit-maakte, dat we dan maar samen ziek waren, dagen op bed doorbrachten en series keken die we hadden ge-download. De ene aflevering na de ander.

We reden de provinciale weg op en ik gooide mijn frustraties van de dag eruit, alsof dat eerst moest gebeu-ren voordat straks in bed het zweet uit al mijn poriën kon gutsen. Ik vertelde hoe ik me met de minuut slech-ter was gaan voelen en onder drie dekens in het meest beschutte deel van de sloep had gelegen. Hoe ik daarna bij het eten geen hap door mijn keel had kunnen krijgen en geen fut meer had me in gesprekken te mengen, laat staan om een gesprek te beginnen. Tussen mijn woorden door zuchtte ik diep en ik schoof heen en weer op mijn stoel om een lekkere houding te vinden. Ik klappertandde. Merel vroeg of ik daarmee op wilde houden.

'Laat me,' zei ik. 'Ik voel me klote.'

Merel vond dat ik niet zo zielig moest doen. 'Dat krijg je ervan,' zei ze.

'Onzin! Daar heeft het niets mee te maken. Vanochtend voelde ik me nog prima.'

'Vind je het gek? Je hebt gister de hele dag op de bank liggen rotten.' Ze herhaalde haar gezeik van gisteravond toen er niets in huis was omdat ik geen boodschappen had gedaan. Ik zakte onderuit en liet mijn hoofd rusten tegen het koele glas.

Voordat ik thuis in bed dook, trok ik twee extra paar sokken aan en twee truien. Merel keek televisie in de woonkamer. Ik hoopte dat de slaapkamerdeur open zou gaan, dat ze op de rand van het bed zou gaan zitten, om een natte washand op mijn voorhoofd te leggen, over mijn hoofd te aaien en te vragen of ik thee wilde.

Toen zij eindelijk de slaapkamer in kwam, deed ze dat zwijgend. Met haar rug naar me toe viel ze binnen een paar minuten in slaap. Terwijl ik lag te rillen en gloeien van de koorts, maakte ik mezelf wijs dat alle vrouwen zo zijn als zieke mannen te opzichtig om medelijden vragen. Ik maakte het mezelf wijs zoals vrouwen zichzelf wijs maken dat hun mannen ooit minder zullen drinken, en vaker en vooral enthousiaster meegaan naar de stad, naar hun ouders.

Ik volgde haar ademhaling om in slaap te kunnen vallen en zei tegen mezelf dat iedere man er soms over nadenkt een keer de deur uit te lopen om nooit meer terug te komen. Dat ik niet de enige was die zich liever onder de douche aftrok dan dat-ie deel uit maakte van de tragikomedie in de slaapkamer. Ik zei tegen mezelf dat er meer mannen zijn voor wie aftrekken een reden is om te gaan douchen in de ochtend, voor wie de spermaresten uit het doucheputje peuren een ritueel is.

De laatste maanden was ik vaker zonder haar weten klaargekomen dan in al mijn vrijgezelle jaren bijeen. Makkelijk ging het nooit. Ik zag de beelden, hoorde de kreten, proefde de droogte. Maar daar trok ik mezelf doorheen.

De nacht dat ik naast Merel lag weg te kwijnen van de koorts, kreeg ik een natte droom, of iets wat daar op leek. Ik had het zaad niet tegengehouden bij het wakker worden, waardoor het dus niet echt een natte droom was. Het was ook te laat om tegen te houden, zoals je met je vinger in je keel boven de pot niet meer terug kan. Het zaad klonterde samen in mijn onderbroek en dat vond ik het smerige van zo'n natte droom: dat ik er na de lozing niet van af was. Ik spoelde de onderbroek uit in de badkamer en onder de douche kneep ik de laatste druppels uit mijn pik, liet het douchewater op mijn eikel kletteren.

Merel was wakker en lag op haar zij televisie te kijken. Ik liep naar het bed en ze glimlachte, draaide zich op haar rug. Ik zat op de rand om mijn voeten af te drogen en voelde haar adem in mijn nek, haar warme borsten tegen mijn rug. 'Voel je je al iets beter?' vroeg ze.

Op dit soort momenten zei ik tegen mezelf dat het allemaal niet zo slecht was tussen ons. Dan maar wat minder vaak neuken en je wat vaker aftrekken onder de douche, dacht ik dan, of met een andere vrouw naar bed. Maar aan dat laatste had ik geen behoefte. Tenminste, de moeite om een vrouw zover te krijgen wilde ik niet nemen. En ik zou moeite moeten doen. Er zou weer haar op mijn hoofd moeten groeien, ik zou een kilo of vijftien kwijt moeten raken. Bovenal zou de vrouw gedronken moeten hebben. Of een hoer moeten zijn. Dat waren zo'n beetje mijn kansen, schatte ik in, en die liet ik liever liggen. Zoals de kansen die ik vooralsnog had laten liggen om Merel op een waardige, mannelijke manier te verlaten. Ik was er een paar keer dichtbij geweest, vaak in bezopen toestand, dat wel. Maar elke keer eindigde de scène in een Eddie die op zijn knietjes voor Merel zat en haar smeekte om het nog een keer te proberen. Nog één keer. Kom, alsjeblieft. We gaan het nu echt anders doen.

De eerste drie werkdagen na het sloepvaren bleef ik ziek thuis. Op een middag zag ik bij *Dr. Phil* een dikke, lelijke man die in de vier jaar dat hij getrouwd was, met vijftig andere vrouwen naar bed was geweest. Vijftig. Waar haalde hij die vandaan? Zaten daar ook hoeren tussen? Dat moest bijna wel. Terwijl publiek en presentator verontwaardigd reageerden op alles wat de man zei, dacht ik vol bewondering na. Ik deelde de vrouwen door de jaren, de maanden, en ik vergeleek het met hoe vaak Merel en ik de laatste maanden seks hadden gehad.

Nog voordat het programma was afgelopen, nam ik voor de tweede keer die dag een douche. Merel kwam voorlopig toch niet thuis.

In de week dat wij definitief uit elkaar gingen, pasten we op het huis van haar ouders, die een paar dagen weg waren met een bevriend stel. De hond moest worden gevoerd en uitgelaten. En ze vonden het een fijn idee dat er op hun huis werd gelet.

De laatste oppasdag stond Merel vroeger dan normaal op voor haar werk en kon ik op bed blijven liggen zonder me te hoeven verantwoorden. Omdat ik geen moeite hoefde te doen een ziekte te simuleren, meldde ik me ziek. Ik sms'te Merel dat ik voor mijn werk hier in de buurt moest zijn en dat ze de tante die de afgelopen dagen de hond tussen de middag had uitgelaten, kon afbellen. En ze hoefde zich vanmiddag niet te haasten, ik zou op tijd in haar ouderlijk huis terug zijn om de hond opnieuw uit te laten, boodschappen te doen en voor het eten te zorgen, want haar ouders zouden pas laat in de avond thuiskomen.

Ik bleef tot een uur of twaalf in bed en voerde binnen een paar uur de aangekondigde taken uit. De rest van de middag sleet ik voor de televisie en dronk een fles van haar vaders beste wijn op. Rond een uur of vier liet ik de hond uit en daarna ging ik in bad, omdat ik zin had me af te trekken in het hete water. Voor de vorm nam ik wat te lezen mee en uit de kelder pakte ik nog een fles wijn.

Ik liet mijn huid wennen aan het hete water, zette de fles aan mijn mond en nam een paar flinke slokken. Langzaam zakte ik tot mijn nek in het water en kneedde mijn pik. Het sop kwam tot aan mijn kin en ik kon niet zien wat er tussen mijn benen gebeurde, ik hoorde alleen geklots. Omdat ik het zaad eruit wilde zien spuiten, duwde ik mezelf omhoog en ging op de rand van het bad zitten. Ik plaatste mijn voeten stevig op de bodem van het bad, rechtte mijn rug tegen de koude muur en keek over drie vetrolletjes heen naar mijn slapper wordende geslacht. Ik leunde met mijn hoofd tegen de muur, sloot mijn ogen en dacht aan de ordinairste beelden die mij normaal gesproken sneller deden klaarkomen. Het werkte, ik voelde mijn vingers verder uit elkaar gaan, mijn eikel heter worden, net als mijn hoofd. Tijdens het trekken richtte ik mijn lul omlaag zodat het zaad niet over het bad heen op het matje zou landen. Het leek net of mijn pik langer en stijver was dan ooit, mijn eikel zo groot als mijn vuist. Ik luisterde naar het soppende geluid en concentreerde me op de reeks ordinaire sletten die me smeekten hen harder te nemen en het vol te houden. Om het uit te stellen, verlaagde ik het tempo en maakte de concentratie op de smeekbedes plaats voor het piepende geluid dat mijn natte reet maakte op de badrand. Maar tussen het piepen door, hoorde ik gekraak, en nog een keer.

De badkamerdeur zwaaide open. Ik gleed van de rand af, hoorde nog net een gil. Voeten in de lucht, water in mijn mond, neus en oren. Mijn hielen knalden op de badrand en ik proestte het uit, wreef sop uit mijn ogen, ging rechtop zitten en harkte sop naar me toe. Mijn ogen prikten, ik zag nog niets. Ik gooide een handkommetje water in mijn gezicht.

In de deuropening stonden Merels vader en moeder. Tussen ons in lagen groene scherven en rode plassen.

'Mijn hemel,' riep Vivian. 'Wat een waterballet!'

'Wat heeft dit te betekenen?' vroeg Huig. 'En moet jij niet op je werk zijn?'

'Ik heb vandaag vrij,' zei ik.

'En dan maak je er maar meteen een rotzooi van? En zuip je midden op de dag mijn wijnvoorraad op? Alleen nog wel! Wat bezielt je?'

'Ik zit gewoon in bad.'

'Gewoon in bad? Je donderde van de badrand af!'

Met twee armen harkte ik nog meer sop naar me toe. Tussen mijn benen klopte het, maar niet alleen daar. Ik voelde me duizelig worden en zette de koude kraan op mijn borst. 'Ik wilde even afkoelen,' zei ik.

'Het leek op iets heel anders,' zei hij.

Zijn vrouw gaf hem een elleboog. 'Huig!'

'Die zat zich daar gewoon af te trekken. De smeerlap. Eruit jij! Mijn huis uit!' Huig maakte wat driftige gebaren en verdween.

Vivian keek me met een vies gezicht aan. 'Wij praten hier straks verder over. Laat het hier netjes achter, wil je.'

Een minuut of tien later had ik alles had opgeruimd en was ik aangekleed. Ik pakte mijn spullen. Het einde van onze relatie was sowieso nabij, slechts een kwestie van tijd. De onuitgesproken hoop die wij allebei koesterden om er na die vakantie sterker uit te komen, zoals je dat stellen die iets ergs hebben meegemaakt altijd hoort zeggen, werd met de week ijdeler. En als het soms bijna ter sprake kwam, zei een van ons dat nu niet het moment was.

Vanuit de gang zag ik Vivian met de telefoon in haar hand, ze stond met haar rug naar mij toe. Zij en Huig hadden ruzie gekregen met het meereizende stel en waren daarom eerder teruggekomen.

Tegen wat mij binnen te wachten stond, zou ik me niet kunnen wapenen, wist ik. Even aarzelde ik. Toen gooide ik mijn tas over mijn schouder en rende naar buiten. Ondertussen mijn zakken aftastend naar de autosleutel, die ik vond toen ik bij mijn auto stond.

Merel reed het pad op. Het grind spatte weg onder de banden van haar leaseauto. Ze parkeerde strak aan de ene kant van het pad. Met één wiel over het gras zou ik er aan de andere kant langs kunnen.

Ik stak de sleutel in het slot.

'Waar denk jij heen te gaan?' riep haar vader vanuit de deuropening, terwijl Merel uitstapte.

'En je gaat toch niet met de auto?' riep haar moeder erachteraan. 'Je hebt twee flessen wijn op!'

'Je hebt wat?' vroeg Merel. Ze bleef achter de autodeur staan, alsof ze verwachtte hier elk moment achter te moeten wegduiken.

'Anderhalf,' schreeuwde ik. 'Niet overdrijven!'

'Als je wegrijdt, bel ik de politie,' brieste haar vader. Hij stond op een paar meter van de voordeur.

Ik draaide me om, liet de sleutel in het slot zitten.

'Jij hebt me al genoeg tegengewerkt!' Ik hield mezelf in evenwicht dankzij de zonnewijzer, vlak naast de auto in het gras.

Huig zei nu kalm: 'Jij werkt alleen jezelf tegen, jongen.'

Mijn handen knelden om een van de roestvrijstalen bogen en ik tilde de zonnewijzer met beide handen van de sokkel, het viel me tegen hoe zwaar het foeilelijke ding was.

'Wat doe jij nou?' Huig kwam met grote passen op me af.

Merel gooide haar autodeur dicht en rende om de auto heen.

Ik hield het ding boven mijn hoofd, de schuin omhoog stekende pijl schitterde in het rode zonlicht. 'Achteruit! Allebei, achteruit!'

Ze vertraagden hun pas, maar bleven doorlopen.

Ik zwaaide de zonnewijzer naar achteren met de gedachte hem door een van de grote woonkamerramen heen te pleuren, maar bij het draaien van mijn lichaam raakte ik uit balans en de zonnewijzer ontglipte me. Schuin achter me klonk gerinkel. Ik viel op de grond, mijn handen in het glas.

Ik probeerde overeind te krabbelen, werd ineens aan beide armen omhoog getakeld en ik kreeg geen adem, het voelde als een klein halfjaar geleden, toen ik omhoog werd getakeld omdat ik moest toekijken. Machteloos, lijdzaam. Zand, tranen, bloed. Merel.

Haar vader zei iets tegen me wat ik niet verstond. Ik kreeg bijna geen lucht van het huilen en schokte alsof ik moest kotsen.

Binnen zaten we voor het laatst bij elkaar, van een gesprek kan ik me niets herinneren. Alleen dat Merel me daarna naar huis bracht en me nog zou bellen over wanneer ze haar spullen wilde komen halen. Zoiets.

DEEL II

13

Ik staar wat voor me uit in de lege coupé, onderweg naar waar Merel straks op een internationale trein stapt om aan haar reis te beginnen. De wijzers van mijn horloge lijken zich sneller voort te bewegen dan de trein waarin ik zit en ik vervloek de trein en het horloge en deze hele avond, de drank die ik met koffie probeer weg te spoelen, maar wie houd ik voor de gek? Migraine bestrijden met paracetamol heeft een grotere kans van slagen.

Ik haat de stilte in de coupé en de duisternis erbuiten, de polder die we doorklieven, die slootjes, de lichtjes in de verte, het slijpende geluid bij het remmen. Ik haat die vetvlekken op het raam waardoor zelfs de duisternis vertroebelt en ik haat het veel te felle licht hierbinnen. En dan die achterlijke tekeningetjes en krabbels op de hoofdsteun voor me, de gratis kranten, die stank van rottend fruit uit de prullenbak. Ik vervloek mezelf, omdat ik geen kaartje heb gekocht en ook geen geld heb om alsnog een kaartje plus boete te betalen. Het geld dat ik nog in mijn zak had zitten is opgegaan aan koffie, en aan de bloemen die op het bankje tegenover me liggen, naast mijn voeten.

Ik had een van de laatste pokerpotjes van vanavond

moeten winnen om mijn verlies van de hele avond goed te maken, maar omdat ik niet goed op zat te letten gooide ik te vroeg mijn kaarten op tafel. Wat konden mij die fiches op dat moment verrotten, het bier gleed naar binnen als op een mooie zomerdag.

Het telefoongesprek van een paar dagen geleden met Merel spookt door mijn hoofd. Ze had weer ruzie met haar vader gekregen over haar reis en ik had er alles uitgegooid toen ze voor de derde keer in een paar minuten zei dat ik net zo'n zeikerd was als haar vader en ze vermoedde dat ik er ook helemaal niet achter stond. Ik kon me niet meer inhouden en riep dat ze niet wist waar ze aan begon. Wat wilde ze ermee bewijzen? Ze wist donders goed wat ik bedoelde. Hoeveel mooie ervaringen er ook tegenover zouden staan, hoeveel blije kindergezichtjes ze ook zou zien. Ze moest niet denken met deze reis andere herinneringen te kunnen verdringen.

'Merel? Ben je er nog?'

Stilte.

'Weet je. Misschien moet je eens wat beter naar je vader luisteren.'

Ze hing op.

Ze kon de tering krijgen. Ga dan maar weg. Godver.

Die instelling hield ik een dag vol.

Ik stuurde een sms die ik met één smiley afsloot, ik moest het niet overdrijven. Zij zat ook fout. Ik was niet de enige die door het stof hoefde. Ik was vooral eerlijk geweest.

Na drie sms'jes ging ik bellen en haar voicemail inspreken. Mailen. Ze reageerde nergens op. Er verstreken twee dagen waarin ik niets anders deed dan tv kijken en contact met haar zoeken. Tot Arjan belde om te vragen of ik nog zin had om naar het pokertoernooi te komen dat hij organiseerde, in een of ander achteraf-zaaltje. 'Je zou me erover terugbellen, weet je nog?'

Ik had afgelopen week een keer met hem getennist en daarna waren we een paar uur blijven hangen in de kantine. Ik herinnerde me nu pas dat hij toen was begonnen over dat pokertoernooi en dat ik de uitnodiging niet meteen had aangenomen. Ik heb weinig met pokeren en ging liever iets met Merel doen, maar omdat ik hem een aardige gozer vind wimpelde ik de uitnodiging ook niet meteen af.

'Ik zal er zijn,' zei ik, starend naar mijn inbox zonder nieuwe berichten. Ik nam me voor dat als Merel mij eindelijk zou bellen of mailen, zij een tijdje moest wachten op mijn reactie. In ieder geval een paar uur.

Tijdens het pokeren liet ik mijn telefoon in mijn jas zitten, aan de kapstok in de gang. Hoewel die op trillen stond, had ik dat ding expres niet in mijn broekzak laten zitten omdat ik bang was alsnog in de verleiding te komen meteen op te nemen, of na een paar minuten terug te bellen. Zij moest niet denken dat ik alles pikte. Zij moest niet denken dat ik de hele dag op haar telefoontje zat te wachten.

Het toernooi was voor mij officieel al na twee of drie handen voorbij en aan de bar besloot ik na twee glazen bier naar huis te gaan. Ik gleed van de kruk af toen Arjan voorbijliep en vroeg of ik zin had om verder te pokeren. Een soort verliezersronde waarbij je voor vijf euro nieuwe fiches kon kopen om weer mee te doen. Was je het zat, dan stopte je ermee en kon je voor de fi-

ches die je overhad geld terugkrijgen. Maar het belang-
rijkste was vooral: de gezelligheid. Ondanks die toe-
voeging stemde ik toe. Als iedereen voor de gezelligheid meedeed, zou het vast niet opvallen als ik me tot
kaarten en bier drinken beperkte. Zolang ik maar blijf
drinken, dacht ik, denkt iedereen dat je een gezellige
kerel bent. Dan stellen ze geen vragen.

Om een uur of vier stapte ik dronken op mijn fiets.
Uit verveling haalde ik de telefoon, die bijna leeg was,
uit mijn zak. Twee gemiste oproepen, van haar. Ik trapte zo langzaam dat ik bijna omviel en ik stopte om te
kunnen zien hoe laat ze had gebeld. Uren geleden, natuurlijk. Ik luisterde naar de voicemail die ze had inge-
sproken, met een kalme, zelfverzekerde stem. Er klonk
kracht door in haar stem, de kracht van een doorge-
winterde reiziger die voor vertrek nog even naar huis
belt zonder een spoor van twijfel of angst. Het was
haar gelukt een week eerder te vertrekken. Dat betekende de volgende ochtend. Het speet haar dat ze de
laatste dagen mijn pogingen om haar te bereiken had
genegeerd, dat verdiende ik niet. Ze baalde ervan dat
ze soms zo koppig was en hoopte dat ik me haar onre-
delijke gedrag niet al te veel aantrok. Ze wilde haar reis
benutten om over ons na te denken. Ze wist het allemaal even niet.

Ze wist sowieso niet of ze mij had gemist, of dat ze gewoon niet alleen kon zijn. Wat ze wel zeker wist, was
dat ze de geur miste van de gebakken eieren die ik elke
zaterdagochtend voor haar had gebakken, en o, wat
miste ze hoe ik dan naast haar ging liggen om te zien
hoe ze in haar dampende thee blies, ervan nipte. En ze
miste de lieve briefjes die ik schreef, die had ze allemaal

bewaard en in haar reistas gestopt. De mooiste in haar binnenzak.

'Als ik terug ben, zien we wel verder,' zei ze. 'Verwacht niet dat je me kan tegenhouden.' Ze lachte. Uitzwaaien mocht natuurlijk wel. Graag zelfs. Ze rekende erop.

Wat het ook was, of ze mij nou miste of gewoon niet alleen kon zijn, ze gaf toe de laatste tijd in bed te doen alsof haar kussen mijn borst was waarop ze vroeger in slaap viel. Maar terwijl ze het kussen steeds dichter tegen zich aan drukte, vocht ze ook tegen de beelden van de avond die de oorzaak van onze breuk was. En ze vocht tegen het geluid van onze ruzies en stiltes in de maanden die volgden, van haar vader die mij buitenzette en dreigde de politie te bellen op het moment dat ik klaar stond om die afgrijselijke zonnewijzer in de voortuin door het raam te smijten. Ze vocht ook tegen het geluid van brekend glas, van haar vloekende vader, haar eigen gesnik, haar troostende vader. Ze vocht tegen de beelden en geluiden zoals sommige mensen tegen de slaap vechten.

Het was een erg lang bericht.

Ik racete naar het station. In de trein luisterde ik nog een keer naar het bericht en de hele tijd piepte de telefoon omdat-ie bijna leeg was.

Door het schudden van de trein, het gedender over de rails en de sloot koffie in mijn lijf hoef ik niet bang te zijn dat ik in slaap val, dus ik leg mijn hoofd tegen het raam en doe mijn ogen dicht. Als de conducteur naar mijn kaartje vraagt, zal ik hem de situatie voorleggen en hij gaat het helemaal begrijpen. In mijn fantasie draait hij niet zijn vaste en vileine riedeltje af, maar sprint hij naar de machinist om hem aan te sporen de trein harder te laten rijden en even later verzekert hij me dat we het gaan halen, dat het allemaal goedkomt, dat ik niet ver verwijderd ben van het weerzien met en het afscheid van Merel. Tenminste, mijn gevoel zegt me dat het geen afscheid wordt, mijn gevoel zegt me dat ze niet op reis gaat als ze mij ziet staan met een mooie bos bloemen, als ze de woorden leest die ik op het kaartje heb geschreven. Haar ouders zullen blij zijn om mij te zien, omdat ze hopen dat mijn onverwachte komst hun dochter ervan weerhoudt te vertrekken. Ik voel haar armen om mijn nek, haar warme lichaam, haar neus tegen de mijne, haar lippen, en ik zie haar vervolgens het treinkaartje verscheuren, de snippers over haar schouders weggooien. Snippers die worden meegezogen door de optrekkende trein en eronder verdwijnen, snippers die een paar seconden later aan de achterkant van de trein weer opstijgen en alle kanten opwaaien. Waardeloos en onbestemd. Ondertussen zijn wij met z'n vieren al naar de parkeerplaats gelopen om naar het huis van haar ouders te rijden en daar een glas wijn te drinken op de toekomst, op ons. En na een paar flessen zal haar vader ons dan naar mijn of haar appartement brengen, waar we dagen in bed blijven liggen, voor niemand opendoen, geen telefoon opnemen.

Het is donker, het strand is verlaten en ik speel in het water met mensen die ik niet kan zien. Ze spetteren in mijn gezicht, ze lachen, ze roepen iets, ik versta er niets van. Ze roepen steeds hetzelfde, dat hoor ik wel. Eentje klinkt als iemand uit *The Sopranos*, ik weet even niet wie. Ze trekken aan me, maar ik voel geen aanraking, zelfs niet van het water. In de verte klinkt muziek, mensen klappen en lachen. Ik ben omringd door vreemden en voel dat ik niet vrijwillig in dit water drijf.

De hele tijd kijk ik al naar een bankje, op de grens van het strand en de boulevard. Er is niets te zien, er beweegt niets, nog geen papiertje. Toch móét ik ernaar kijken. Dan verschijnt er iemand, een meisje, een vrouw. Haar gezicht is onzichtbaar, verduisterd, zoals dat hoort in de nacht. Maar ik weet dat het Merel is die op het bankje gaat zitten. Ze schopt haar teenslippers uit. Het maanlicht verbleekt haar uitgestrekte benen. Een opstekende wind speelt met haar rok en blouse, maar houdt het netjes.

De mensen die ik niet kan zien maar wel aan me zitten, joelen naar haar. Ze spreken een fantasietaal, een mengelmoes van klanken en lettergrepen, halffabrikaten van woorden. En zo hard, zo lelijk, dat ik er duizelig en misselijk van word. Volgens mij herken ik de stem van Pussy Bonpensiero, die in het tweede seizoen van *The Sopranos* bij de vissen ging slapen omdat hij een rat was. Ik wil niet met deze mensen in het water spartelen. Naar haar zwaaien en om hulp roepen, dat wil ik, dat moet ik, maar er komt geen geluid uit mijn mond, ik krijg mijn armen niet uit het water, kan geen been bewegen. Het water is rimpelloos. Zo ver als ik kan zien. De lucht ruikt nergens naar.

Vanuit het niets komt een jongen, een man, tevoorschijn. Hij gaat naast haar zitten, net niet tegen haar aan. Zij kijkt vluchtig opzij, misschien ziet hij het niet eens. Ze lijken niet met elkaar te praten, ik kan het niet goed zien. Hun gezichten zijn donker, hun bovenlijven schimmig, hun benen geven licht. Ze worden steeds groter, steeds levensechter. Op de een of andere manier zoom ik in, zonder dichterbij te komen. Het verlangen om vaste grond onder mijn voeten te voelen, woelt in mijn maag. Ik wil zand, schelpen. Ik wil voelen dat ik voeten heb.

Ik word onder water getrokken, maar ik slik geen water in en via mijn neusgaten komt ook niets binnen. Ik kan niet ademen, maar mijn longen zuigen zich vol met lucht. Ik kan mijn armen en benen nog steeds niet bewegen, maar ik kom langzaam omhoog. Het lijkt of ik even onder het wateroppervlak blijf hangen. Als ik boven kom, zijn de silhouetten verdwenen.

Ze lachen, de mensen die ik niet ken, ze lachen harder dan zojuist. Nu herken ik ze allemaal: Pussy, Tony, Christopher, Paulie, Richie, Ralphie, noem maar op. Ik knijp mijn ogen dicht, zo hard ik kan, om ze te laten verdwijnen. Ze mogen me naar beneden trekken, zo diep als ze willen, verder en verder. Tot mijn voeten in de bodem van de zee zakken, tot de laatste luchtbel mijn mond verlaat en dronken zijn weg omhoog zoekt. Ze mogen alles met me doen, als ik mijn ogen maar dicht kan houden. Ik hoef niets meer te zien, helemaal niets.

Een tik tegen mijn schouder. Voorzichtig open ik mijn ogen. Scherven licht. Vouwen in mijn wangen, plakkerige mond, pijnlijke heup. Flarden van een droom, een taal die ik niet versta. Ik kijk opzij, naar buiten. De trein staat stil. Het perron is verlaten.

De conducteur vraagt of ik hier moet zijn. Zonder

mijn antwoord af te wachten, kondigt hij aan dat deze trein binnen enkele minuten teruggaat in de richting van de stad waar ik een uur geleden had moeten zijn. Om een kaartje vraagt hij niet en als ik nog eens goed in mijn ogen heb gewreven, is hij alweer door de schuifdeuren verdwenen.

Er staan twee bankjes met daartussenin een prullenbak, een abri erboven prijst goedkope vakanties aan. De oranje zon is samengeperst tot een rafelige reep tussen de rand van de prullenbak en de onderkant van de abri. Verderop hangt een klok met zijn vervloekte wijzers en daar weer links van een blauw bord met de vervloekte naam van de stad die ver voorbij mijn gewenste bestemming is. 'Kut,' mompel ik. 'Kutkutkut!'

Merel is ongetwijfeld al honderden kilometers van mij vandaan – weet ik veel hoe hard zo'n internationale trein gaat. Ik verbeeld me hoe ze met haar gezicht in de rijrichting naar het voorbijtrekkende land staart, naar de steeds van kleur veranderende hemel, terwijl ze wolken naar mensen, voorwerpen of landen vernoemt. Voor medepassagiers zal ze achtergronden, namen en dromen verzinnen, zoals wij dat vroeger samen deden. En dan ingehouden lachen, niet te lang kijken, zeker niet wijzen.

De kans dat ze ligt te slapen acht ik klein. Als Merel op reis gaat giert de opwinding door haar lijf en fantaseert ze erop los. Misschien probeert ze wel te slapen, wil ze de gemiste uren van de nerveuze nacht ervoor compenseren en zo uitgerust mogelijk aankomen. Maar het verlangen om te slapen zal haar alleen maar onrustiger maken, paniekerig zelfs. Ik herinner me een ıt dat ze te graag in slaap wilde vallen. Ze moest de gende dag fit zijn, waarom weet ik niet meer. Die ;ht snurkte en woelde ik, terwijl zij alle denkbare ʌoudingen uitprobeerde om de slaap te vatten. Ze maakte me wakker en ik moest haar vasthouden. Ze zag alles weer voor zich, zei ze, en hijgde uit op mijn borst, alsof ze letterlijk ergens voor had moeten vluchten. Zo bleef ze minutenlang liggen en haar ademhaling werd rustiger. Maar net op het moment dat zij eindelijk in slaap dreigde te vallen, terwijl ik het idee had dat ze allang weer sliep, moest ik naar de wc. Daar deed ik het licht aan en piste met volle kracht in de pot. Ik trok door en liep terug naar bed. Merel zat rechtop, met haar armen om zich heen.

De trein glijdt weer langs alles wat ik vannacht vervloekte voor ik in slaap viel. Nu vervloek ik alleen mezelf, dat ik in slaap ben gevallen en voor de zoveelste keer heb laten zien dat ik haar niet waard ben.

Ik zie wel waar deze trein uitkomt, of er alsnog naar mijn kaartje wordt gevraagd, of ik eruit word gegooid. En dat doet me denken aan het busje waar Merel en ik werden uitgetrokken. Ik voel het zand weer over mijn wangen schuren. Dikke korrels kleven aan de binnenkant van mijn mond en achter mijn tanden. Korrels die ook in mijn ogen zitten. Hoe meer ik wrijf, hoe paniekeriger, hoe erger mijn ogen branden. Zoals met jeuk. Ik wou dat ze uit mijn kassen waren gekrabd, dat ik niets had kunnen zien. Maar de klootzakken hielden mijn hoofd vast, drukten hun vingertoppen in mijn oogleden, ik kon ze niet sluiten. Pijn in mijn kop, barstende pijn.

Mijn telefoon is leeg. Ik kan niet laten weten dat ik onderweg ben, ik kan haar niet zeggen hoe blij ik ben dat we elkaar sinds mijn verjaardag weer zo vaak hebben gezien en gesproken.

14

Ik zit achter mijn laptop en werk aan een nieuw verhaal. Van *De kleptomaan die niet stelen kon* heb ik geleerd dat ik beter eerst een goed prozaïsch verhaal kan schrijven, om vervolgens daaruit een scenario te destilleren. Het idee dat ik een methodiek heb bij het schrijven geeft me vertrouwen, zo lijkt het net of ik weet waar ik mee bezig ben. Alleen schrijf ik niet zo soepel als voordat zij op reis ging, er is geen aanhoudende woordenstroom meer. Het knaagt aan me dat ik in de trein in slaap ben gevallen en in de twee weken dat ze weg is niets meer van haar heb gehoord.

Merel had vorige week haar moeder kort gesproken. Ze bleek haar mobiel, bewust, niet te hebben meegenomen en belde vanuit een drukke stationshal. Vivian had niet precies verstaan waar Merel zich bevond, maar wel dat de reis tot dan toe een fantastische ervaring was, hoewel ze er ondertussen erg naar uitkeek om een paar dagen in Peking te verblijven. Daar zou ze een uitgebreide e-mail naar iedereen sturen over wat ze zoal had gezien en meegemaakt.

Ze zou al in China moeten zijn.

Het idee dat ze ervan baalt dat ik niet kwam opdagen en tegen zichzelf zegt een fout te hebben gemaakt door hoop te koesteren, kan ik niet verdragen. Ik verlang naar haar, naar de avond dat ze de backpack kwam ophalen en we – nadat ze mijn verhaal had gelezen – wijn dronken en door de kamer dansten.

Ik struin reisverslagen op internet af om me haar reis te kunnen voorstellen en lees over lege landschappen en gehuchten, die niet terug te vinden zijn op de kaart. Over zwerfkinderen en handelaren in melkpoeder en sandalen. Over de Mongolen die denken dat ze korter leven als ze op de foto worden gezet. In Ulaanbataar moet je oppassen voor zakkenrollers en in de Gobiwoestijn leven kamelen en gazellen. Zou Merel ook haar hand in het water van het Bajkalmeer hebben gestoken om haar leven met een jaar te verlengen? Of haar voet, voor vijf extra jaren?

Ik mail haar dat ik ben aangenomen als bedrijfsjournalist. *Ik kan volgende week beginnen. Drie dagen in de week, zodat ik me straks op mijn opleiding scenarioschrijven kan storten. Als ze me tenminste toelaten, maar dat zal toch wel?*

Ik keer terug naar het Word-document. Net als er een paar mooie woorden in mij opborrelen, gaat de telefoon. 'Merel thuis' knippert in het display.

Het eerste wat me te binnenschiet, is dat ze eerder is thuisgekomen. Na die treinreis was het mooi geweest, er was genoeg nagedacht. Ze kon de mooiste landschappen doorkruisen, de prachtigste en liefste mensen ontmoeten, de spannendste avonturen beleven, het woog allemaal niet op tegen het weerzien met mij. Geen onlogische gedachte, als ik terugdenk aan de avond dat ze de backpack bij me ophaalde en we na het dansen op de bank vielen, en onze gezichten even boven elkaar bleven zweven, zo'n moment waarop in films tergend lang wordt ingezoomd. Iets in haar blik veranderde, de glans, de kleur, ik weet het niet precies. Misschien zag ze het in mijn ogen ook, want ze trok mijn hoofd naar zich toe.

De gordijnen hoefden niet dicht. Ze hoefde geen deken over zich heen en het licht hoefde niet aan te blijven, zoals in de laatste maanden dat we bij elkaar waren. Ik hoefde de geluiden uit mijn mond niet te dempen, ik mocht nergens anders op letten, met niets anders bezig zijn. Alleen met haar. Ik mocht naar haar kijken, ik moest naar haar kijken, ik mocht haar overal voelen, ik moest haar overal voelen. Haar borsten gaven klapjes in mijn gezicht. Ze bracht mijn handen er naartoe toen ze achteroverleunde en we kneedden ze samen. Zweet fonkelde op haar buik. Geen moment dacht ik aan het geworstel van de laatste maanden voordat we uit elkaar gingen, aan mijn routineuze gepomp, haar levensloze pose. Nu waren wij Lorenzo en Lucia uit *Lucia Y el Sexo*, Hank en Karen uit *Californication*. Eddie en Merel.

Ze bleef niet slapen, ze was bang dat ze de volgende dag bij het wakker worden spijt zou hebben. Thuis alleen wakker worden zou de avond een surrealistische glans geven. Iets dromerigs. En dat moest het volgens haar zijn in dit stadium, dromerig.

'Iets minder definitief, bedoel je.'

'Zoiets.'

Merel thuis. Ik laat mijn telefoon een paar keer overgaan, omdat een eerder teruggekeerde Merel mij toch niet zo logisch voorkomt. Ze is pas twee weken weg. Het moeten haar ouders zijn.

Ik neem op.

Ze vonden haar ergens tussen twee steden waarvan ik de namen zou moeten opzoeken om ze te kunnen reproduceren. Vivian maakte het er met haar gesnik niet makkelijker op, ik kon de lettergrepen nauwelijks onderscheiden van de andere geluiden uit haar mond.

Ik zit op de bank en staar wezenloos voor me uit. Op de grond ligt mijn mobiel in twee stukken, in het gruis van de muur waar ik het ding tegenaan heb gesmeten. Ik schop weg wat voor mijn voeten komt, gooi met deuren, ga op bed liggen en staar wezenloos naar het plafond. En dan naar het zwarte scherm van de televisie, dat alleen de muur weerspiegelt. Na een tijdje ga ik op het aanrecht zitten en als ik dat zat ben op de trap.

De deurklinken die ik op mijn verjaardag had vastgeschroefd, liggen op de grond.

Vanaf de eettafel kijk ik naar buiten. Er schiet een wielrenner voorbij en ik krijg zin om te fietsen. Ik weet dat mijn denkvermogen afneemt als ik hard op de pedalen trap, alleen wat restgedachten en incoherente beelden blijven over als ik mezelf tot het uiterste dwing. En als het echt zwaar wordt, eisen mijn dijen en kuiten alle aandacht op, al het bloed.

Op de fiets leeft zij na een tijdje niet meer. Op de fiets komen tranen door de wind. De enige verbanden die ik kan leggen zijn die tussen mijn fiets en de weg. Een bocht naar links. Nu sturen, anders rijd ik de berm in. Dan een scherpe, onoverzichtelijke bocht. Nu remmen, anders glijd ik onderuit, of bots ik tegen een andere fietser. Ik wil door de verzuring en de pijngrens heen, ik wil zo diep gaan dat ik straks niets meer voel. Zo kapot dat ik me moet laten omvallen om van de fiets te komen, zo duizelig dat ik in drie etappes op mijn knieën de trap op moet, zo verrot dat ik niet staand kan douchen. Ik wil er zo doorheen zitten dat ik nog voordat ik me helemaal heb afgedroogd in slaap val.

Er zit iemand in mijn wiel en ik neem hem een tijdje op sleeptouw. Na ongeveer een halve kilometer ga ik rechtop zitten en zwaai mijn linkerarm naar achter en naar voren, nu is het zijn beurt. Als er na een paar seconden niets gebeurt, kijk ik over mijn schouder en maak een vinnige hoofdbeweging. Hij doet of-ie me niet ziet en valt stil, net als ik. Als ik weer aanzet, begint hij ook weer te trappen.

Ik demarreer. Vanuit alle krochten in mijn lijf verzamel ik de kracht om bij mijn belager, die vuile aanklamper, weg te spurten. De eerste honderden meters kijk ik niet achterom, daarna zie ik dat ik hem heb gelost. Ik laat hem een stukje terugkomen, knijp in de remmen als hij me tot een meter of tien is genaderd en zet mijn fiets dwars op het fietspad. Hij moet zo hard remmen dat zijn achterwiel omhoog komt.

'Wat doe jij nou?' zegt hij en hij stapt van zijn fiets.

Ik laat mijn fiets op de grond vallen, loop op hem af en schreeuw dat-ie een vuile aanklamper is, een profiteur, een schande voor de sport. Ik sta pal voor hem, mijn wijsvinger voor zijn gezicht. 'Klootzakken als jij verdienen het om onder een auto te komen!' Ook zijn fiets ligt op de grond, hij staat ervoor. Hij veegt zijn gezicht droog.

'Rustig maar,' zegt hij. 'Ik zal uit je buurt blijven.'

Ik zeg dat hij dat maar beter kan doen en herhaal wat ik net heb gezegd.

Als hij me onderbreekt om te zeggen dat hij het nu wel weet en graag verder wil fietsen, stomp ik hem in zijn maag en geef hem een duw. Hij valt over zijn fiets heen. Met een van pijn verwrongen gezicht wrijft hij over een geschaafde elleboog en roept dat ik een klootzak ben.

Ik zit alweer op de fiets en voel mijn dijen langzaam verzuren. Ik nader mijn pijngrens, schakel steeds verder terug. De zon en de wind duwen me achteruit, recreanten fietsen me voorbij. Zelfs een hardloper. Ik word misselijk en duizelig bij de gedachte aan de kilometers die ik nog moet afleggen.

Mijn benen doen pijn van gisteren, van mijn liezen tot onder mijn voeten. Scholieren fietsen voorbij, zonder jas, handen los van het stuur, onbekommerd op weg naar school.

Ik herinner mij een condoleance van een paar jaar terug. We stonden in de rij en Merel zei: 'Ik ben altijd zo bang dat ik gefeliciteerd zeg in plaats van gecondoleerd.' Maagzuur kruipt omhoog bij het idee dat mensen over een paar dagen voor haar in de rij staan. Ik zet de auto stil op een parkeerplaats waar ik vaker heb gestaan toen ik nog voor de uitgeverij werkte en de tijd tussen twee klanten moest doden. Over struiken heen kijk ik uit over een meer en huilen voelt als kotsen. De tranen komen vanuit mijn maag, ze zijn zuur en verlaten me in grote brokken.

Het eerste wat ik voel als ik het bekende grindpad op rijd, en de zonnewijzer zie, is schaamte. Ik kan 'm in zijn achteruit zetten, weggaan, vrijdag de dienst bijwonen en daarna in de rij gaan staan om handen te schudden. Als ieder ander. Maar ik ben niet ieder ander. Ik kan ze vrijdag ook niet als ieder ander de hand schudden en weer doorlopen.

Vivian omhelst me en prevelt woorden die ik niet kan verstaan. Ze heeft te veel make-up op, wat haar verdriet accentueert. In de gang vraagt ze of ik een kop koffie wil en zonder mijn antwoord af te wachten loopt ze naar de keuken.

Op de drempel tussen gang en woonkamer staat Huig. Zijn hand is droog en hard, met zijn vrije hand trekt hij me naar zich toe. Zijn kin op mijn schouder, stoppels langs mijn wang. De omhelzing is precies lang genoeg. We gaan zitten. In de keuken valt een schotel of kopje kapot.

Vivian had aan de telefoon gezegd dat ik langs mocht komen als ik er behoefte aan had, ook voor de begrafenis nog. En ik hoefde niet van tevoren te bellen, ze zouden er toch wel zijn. 'Ik zal kijken,' had ik gezegd.

Ik zit op de stoel waar ik altijd zat als ik hier kwam eten, de stoel waarop ik zat toen ik zei niets van schepen te weten en waarop ik zenuwachtig heen en weer schoof omdat ik Huig moest gaan vertellen dat ik niet voor hem wilde werken. En hier zat ik als hij na een borrel over zijn overleden zoon begon te praten en zijn ogen vochtig werden, als hij 'jongen' tegen me zei en knipoogde.

Tegenover me zit een man die over een paar dagen zijn tweede kind gaat begraven. Nog geen zestig en al twee kinderen overleefd. Ik heb hem enkele weken geleden voor het laatst gezien, de zwarte huidplooien onder zijn ogen zijn nieuw voor me.

Midden op tafel staat het sieradendoosje dat Merel had toen ze een kind was, hij woelt erin zonder te kijken. Een lekker getinkel van kralen en kettinkjes.

Vivian komt binnen met de koffiekopjes. 'Ik had Eddie gezegd dat hij langs kon komen als hij wilde, schat.'

Huig knikt traag en geeft mij iets wat lijkt op een knipoog, zijn oogleden hangen te laag om daar zeker van te zijn.

Zij zet de kopjes op tafel, geeft hem een kus op zijn kruin en loopt terug de keuken in.

'Ik kon niet wachten tot vrijdag,' zeg ik.

'Het is goed,' zegt Huig. Hij haalt zijn hand uit het sieradendoosje en knijpt in mijn hand, geeft er een, twee, drie klopjes op. 'Het is goed dat je hier bent.'

Ik moet me bedwingen niet in huilen uit te barsten.

We staren allebei voor ons uit. Met deze stilte is niets mis, het doet mijn hart langzamer kloppen. De drang om te janken ebt weg. Dit is misschien wel de fijnste stilte die ik sinds lange tijd met anderen heb gedeeld. Er zijn geen woorden nodig, het is goed zo.

Huig kijkt nu uitdrukkingsloos rechts het raam uit.

Ik schep een handje kralen en kettinkjes uit het doos-je, niet voorzichtig, gewoon alsof dat het ritueel is wanneer je hier aan tafel gaat zitten. Hij reageert niet op het geluid. Ik leeg het handje in mijn broekzak.

Vivian verschijnt vanuit de keuken en schenkt koffie in. De opstijgende damp uit zijn kopje doet Huig knipperen en terug in de kamer belanden.

'Dank je,' zegt hij tegen zijn vrouw. Dan richt hij zich tot mij. Hij glimlacht moeizaam, maar vriendelijk. 'Zo'n versje als je voor onze Leen schreef. Ga je dat ook voor haar schrijven? En naar haar...' Het woord graf kan hij niet uitspreken. 'Naar haar brengen.'

'Als u dat ook doet,' zeg ik.

Hij perst zijn lippen op elkaar en knikt.

Tijdens de koffie komt haar dood verder niet ter sprake. Vivian zegt alleen dat Merel op de avond voor de begrafenis opgebaard ligt. Het lukt mij niet die woorden te plaatsen, ze met elkaar te verbinden, laat staan te verenigen, en ik ga er niet op in. Ik wil ook niet naar haar opgebaarde lichaam gaan kijken. Ze zal er ongetwijfeld beeldschoon uitzien, haar gezicht bruin, de plekken in haar nek onzichtbaar. Maar ze zal niet ademen, haar borst zal niet omhoogkomen, haar neusvleugels zullen niet trillen. Ze zal op haar rug liggen, met de handen op haar buik. Ze sliep nooit op haar rug. Ze viel in slaap op mijn borst, of anders in foetushouding op haar rechterzij, heel soms op haar buik. En als ze verkouden was, knapte er vliesjes in haar neus bij het inademen. Ik hoef haar levenloze lichaam niet te zien, hoe mooi ze haar ook maken, hoe echt het allemaal lijkt. Ik heb genoeg mooie beelden van haar verzameld, ik laat het daarbij.

Na het derde kopje koffie ga ik weg. Zij lopen voor me uit de gang in. Ik loop om de tafel heen, graai in mijn broekzak en schep de kralen en kettingen eruit, leg ze terug in het sieradendoosje.

We nemen afscheid in de deuropening. Huig slaat zijn ogen neer als hij me een hand geeft.

'Kom je nog eens langs?' vraagt Vivian die me zoent en omhelst. Ze heeft allebei mijn handen vast. Haar vingers zijn koud, de vingers van haar dochter kunnen niet veel kouder zijn.

'Doe ik,' zeg ik en ik neem me dat oprecht voor.

Het grind spat op tegen de onderkant van mijn auto. Haar ouders zwaaien tot ik van het pad af ben. Ik rijd de straat uit en als ik honderd meter verderop de bocht neem, staan ze er nog steeds.

Misschien sliep je al werd in het voorjaar van 2010, in opdracht van Uitgeverij Thomas Rap te Amsterdam, gedrukt bij Bariet te Ruinen. Het omslag werd ontworpen door Studio Jan de Boer, de typografie van het binnenwerk werd verzorgd door Adriaan de Jonge. Het auteursportret is gemaakt door Bob Bronshoff. De omslagfoto is afkomstig van Nirrimi Hakanson.

Deze uitgave kwam tot stand door bemiddeling van Sebes & Van Gelderen Literair Agentschap, Amsterdam. Zie ook www.BoekEenSchrijver.nl

ISBN 978 90 6005 893 0
NUR 301